Genial ZEICHNEN TIERE

Nicht mehr an meiner Seite,
aber immer in meinem Herzen.

In Gedenken an Lotte.

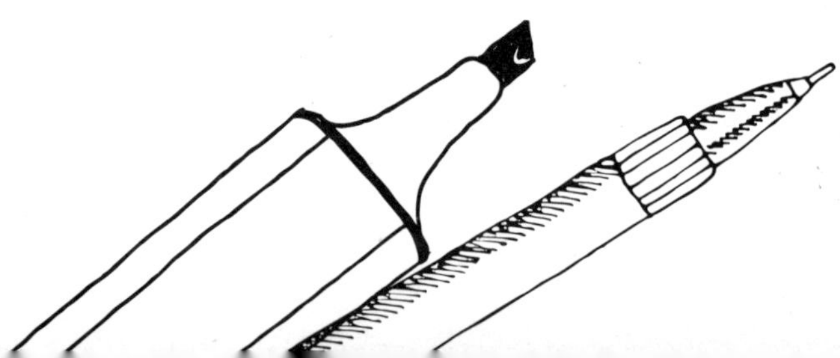

Genial ZEICHNEN
TIERE

EMF

EIN BUCH DER
EDITION MICHAEL FISCHER

DER INHALT

VORWORT

Wer von uns hat als Kind nicht schon einmal versucht, das eigene Haustier oder das, welches man sich so unendlich gewünscht hat, zu zeichnen? Strich für Strich haben wir uns an das Fell, die Schuppen oder die Federn herangewagt. Mal mit mehr, mal mit weniger Erfolg. Die einen von uns haben im Laufe der Zeit wahrscheinlich nicht nur den Wunsch nach einem Haustier aufgegeben, sondern auch dieses porträtieren und zeichnen zu können. Dieses Buch ist allen gewidmet, die Tierzeichnungen genauso faszinieren wie uns. Egal welche Zeichentechnik, ob ein realistisches Porträt oder eine schne l1e Zeichnung: Wir von der Akademie Ruhr sind der Überzeugung, dass jeder zeichnen lernen kann.

Dieses Buch führt dich Schritt für Schritt durch die Grundlagen, Proportionen und wichtigen Details, die eine individuelle Tierzeichnung ausmachen. Tiere sind genauso verschieden wie wir Menschen. Genauso wie bei einem menschlichen Porträt, müssen wir bei einer Tierzeichnung, die individuellen Merkmale dieses einen Tieres hervorheben. Auch bei Tieren unterscheiden sich Jungtiere in ihren Proportionen und Gesichtsmerkmalen deutlich von Älteren. All das und noch vieles mehr zeigen wir dir in verschiedene Zeichentechniken und auch wie du mehr Lebendtgkeit in deine Zeichnungen bekommst.

Viele dieser Zeichentechniken haben wir in den letzten dreizehn Jahren in unseren Fottbildungen und Workshops für Illustratoren/innen sowie in unseren Zeichenkursen und Mappenkursen gesammelt. Techniken, die berufsspezifisch sind, greifen wir auf und übertragen diese anschließend auf die Kunst der Tierzeichnung. So entstehen immer wieder neue und faszinierende Tierskizzen. In diesem Buch wirst du viele verschiedene Beispiele zu den unterschiedlichsten Tieren finden. Egal ob Hund, Katze, Maus oder ein exotischeres Tier: Wir zeigen dir, Schritt für Schritt, wie du deine Zeichnung bestmöglich aufbaust und ausarbeitest in den unterschiedlichsten Zeichentechniken. Diese reichen von Bleistift, über Kugelschreiber, Füller und Marker bis hin zu dem Zeichenwerkzeug, welches du am liebsten benutzt. Unsere kleinen Tipps am Rande helfen dir dabei noch gekonnter zu zeichnen.

Ähnlich wie in unseren Kursen, Workshops und Fortbildungen wirst du mithitfe dieses Buchs schnelle Fortschritte machen und von Zeichnung zu Zeichnung besser werden. Wir wünschen dir dabei viel Erfolg und vor allem viel Spaß!

Dein Andreas M. Modzelewski
& das gesamte Team der
Akademie Ruhr

DIE AKADEMIE RUHR

Zeichnungen, in denen Perspektive, Ausdruck und Proportion stimmen, wirken auf uns unglaublich stark. Da muss bestimmt eine Menge Talent dazugehören … oder?

Wir von der Akademie Ruhr sagen – zeichnen kann jeder!

Bei uns ergänzt sich das Know-how unserer Zeichenexperten aus den verschiedensten kreativen Bereichen. Ob Architektur, Modezeichnung, Porträt oder das perfekte Produktkonzept – mit Begeisterung vermitteln wir unseren Kursteilnehmern/innen das nötige Wissen rund um alle Zeichentechniken.

Seit dreizehn Jahren bieten wir Fortbildungen für Designer und Planer an. Uns ist es dabei wichtig, individuell auf jeden Einzelnen einzugehen und hinsichtlich der bereits vorhandenen Zeichenkünste weitere Fähigkeiten für das Zeichnen in der Freizeit, für die Studienbewerbung oder die berufliche Fortbildung zu vermitteln.

In unseren Fortbildungen arbeiten wir mit namhaften Unternehmen der Design- und Architekturbranche zusammen und helfen Planungsbüros und Designabteilungen, ihre Entwurfsprozesse zu verbessern. Wichtig hierbei sind uns besonders gute Schnellskizzen und Präsentationstechniken für Verkaufsgespräche und Meetings.

In unseren Mappenkursen unterstützen wir alle Architektur-, Kunst- und Designinteressierten auf dem Weg zu ihrem Traumstudium mit Tipps für Bewerbungsgespräche sowie die richtige Präsentation und Erstellung der Bewerbungsmappe. Gemeinsam erarbeiten wir die individuelle Mappe und sind sehr stolz darauf mit einer Annahmequote von 99 % fast allen ihr Traumstudium ermöglichen zu können.

Über die Jahre sind wir so zu einer Institution in der gestalterischen Weiterbildung geworden und konnten einen Erfahrungsschatz anhäufen, an dem wir alle Zeichenbegeisterten in diesem Buch sehr gerne teilhaben lassen möchten.

Informationen zur Akademie, unseren Kursen und weitere Kontaktmöglichkeiten findest du auf unserer Webseite. Dort kannst du dich umfassend über unser Kursprogramm informieren und auch viele weitere Beispielskizzen anschauen.

www.akademieruhr.de.
www.mappenvorbereitungskurs.de

Dein Akademie-Ruhr-Team

MATERIAL

*Mit farbigen Papieren und wenigen Zeichenwerk-
zeugen malst du spannende Tierzeichnungen.*

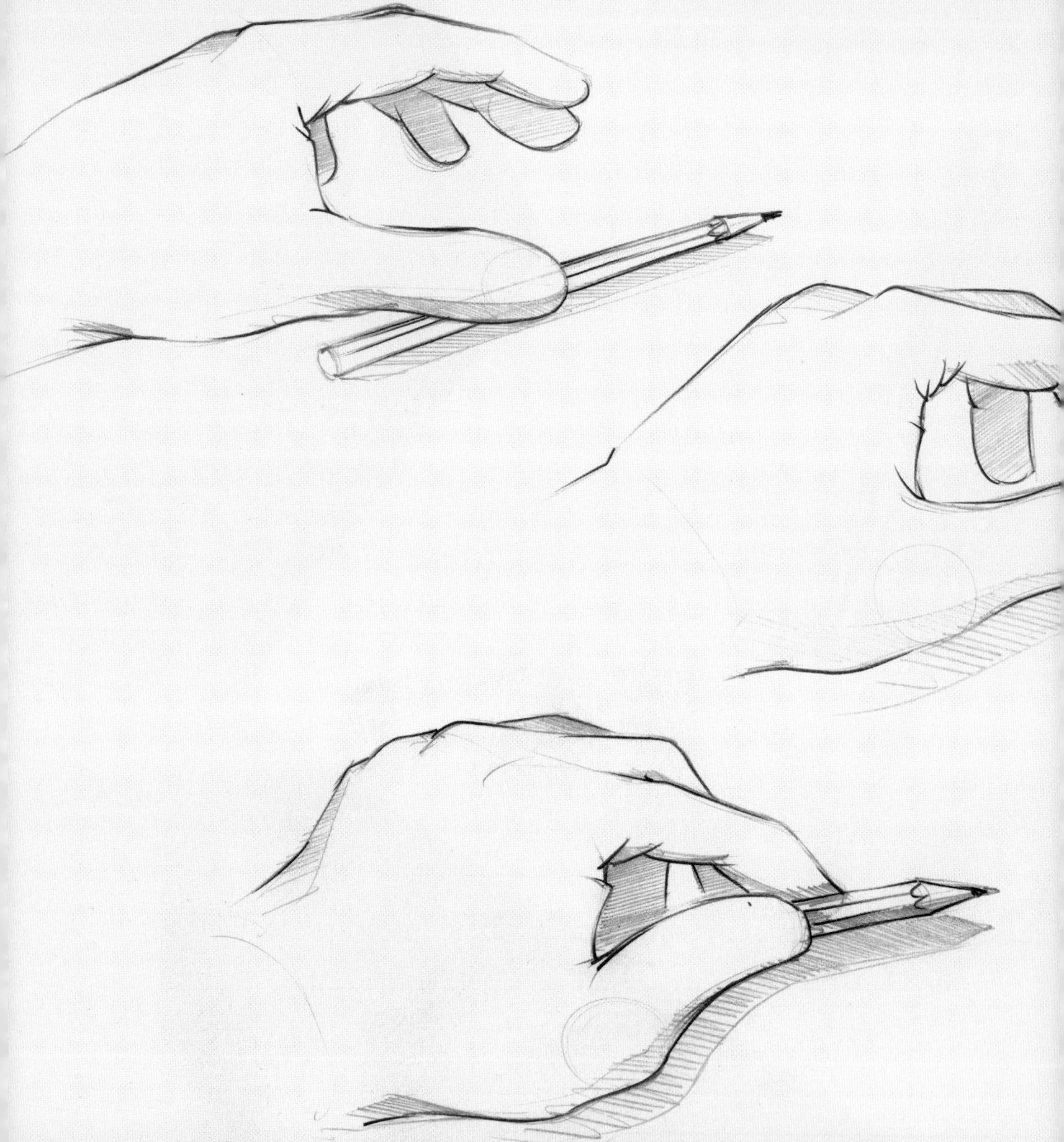

ZEICHENWERKZEUGE

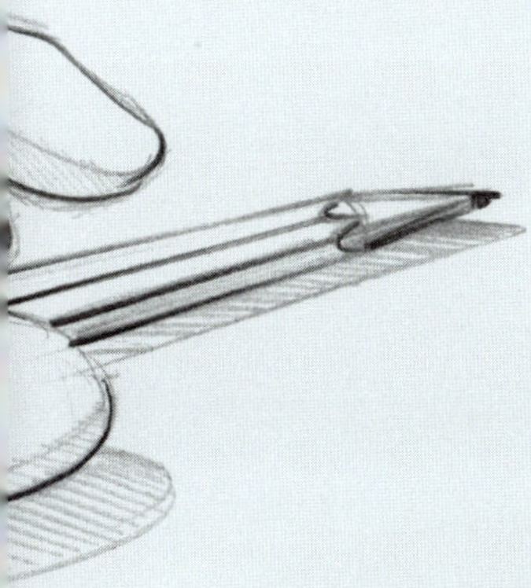

COPIC MARKER

Wer Marker für professionelle Illustrationen und Skizzen sucht, der kommt um Copics nicht herum. Die gut fließenden Tinten machen stufenfreie Überblendungen möglich. Die Stifte selbst sind qualitativ hochwertig verarbeitet und sehr verlässlich. Verschiedene Spitzen und Größen machen die Marker sehr vielseitig.

BLEISTIFTE

Der Klassiker unter den Zeichenwerkzeugen wird in verschiedenen Stärken und Dicken angeboten. Es macht Sinn, eine breite Auswahl für verschiedene Techniken zur Verfügung zu haben und zu experimentieren.

KREIDEN

Öl- und Pastellkreiden bieten viele interessante Einsatzmöglichkeiten auf dem Zeichenkarton. Sie lassen sich mischen, verwischen und mit anderen Stiften kombinieren. Hochwertige Kreiden haben auch bei sparsamem Einsatz eine hohe Wirkung und halten lange.

KUGELSCHREIBER

Gute Kugelschreiber verfügen über Wechselminen und einen ergonomischen Griff.

FINELINER UND TINTENROLLER

Fineliner und Tintenroller bekommt man in verschiedenen Ausführungen. Wir empfehlen, verschiedene Stifte zu testen, um den perfekten Stift für die eigene Hand zu finden.

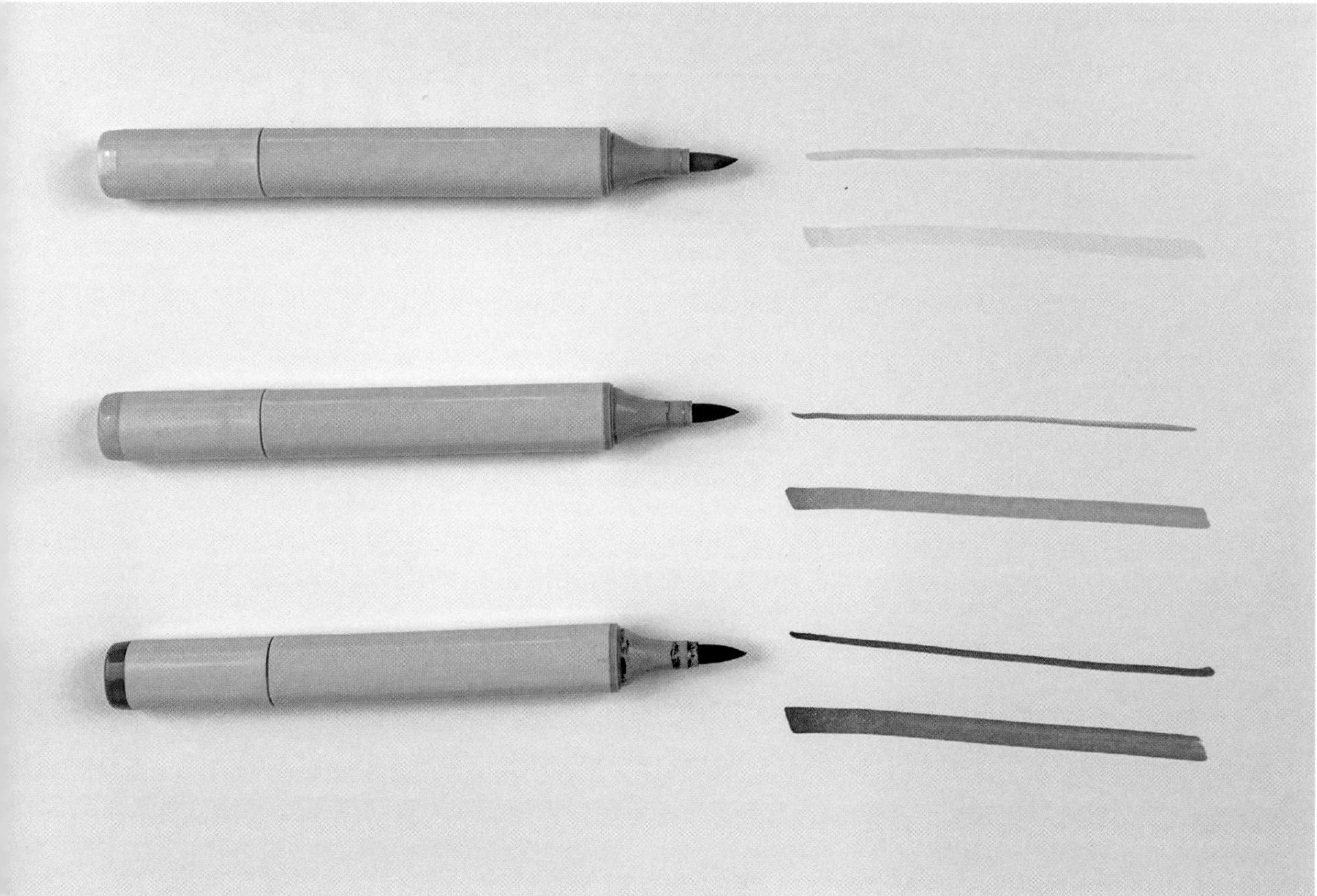

GRAUE MARKER

Sie eignen sich hervorragend für leichte Schattierungen, denn Grautöne haben zahlreiche Farbabstufungen, mit denen man eindrucksvolle Kontraste setzen kann. Sie sind mit nahezu allen anderen Zeichenwerkzeugen kompatibel, da sie nicht verwischen.

FARBIGE MARKER

Ähnlich wie graue Marker bieten die farbigen Marker eine enorme Farbpalette und sind besonders für farbige Highlights bestens geeignet.

KUGELSCHREIBER

Kugelschreiber sind eine tolle Alternative für alle, die im Umgang mit dem Bleistift schon geübt sind und eine klare Strichführung haben. Ein Kugelschreiber kann je nach Druck die Strichstärke von leicht bis kräftig abdecken.

WEISSE STIFTE

Mit weißen Stiften werden vor allem Highlights gesetzt. Besonders gut eignen sich hierfür weiße Buntstifte, weiße Pastellstifte und weiße Gelmarker.

PASTELL & RÖTEL

Pastellstifte sind sehr weich, somit lassen sich besonders große Farbflächen gut damit schraffieren. Mit einem Knetradiergummi lässt sich dieser Stift wieder wegradieren.

Ähnlich wie Pastellstifte sind Rötel. Auch sie haben einen weichen Strich und werden vorwiegend für die Koloration großer Flächen genutzt.

FINELINER & TUSCHE

Fineliner gibt es in unterschiedlichsten Strichstärken, von sehr dünn bis sehr dick. Je nach Motiv sollte man die perfekte Stärke für sich auswählen. Sie eignen sich auch besonders gut als Vorarbeitswerkzeug, denn im Nachgang verwischen sie nicht.

Tuschestifte beinhalten, wenn man so will, unterschiedliche Strichstärken in einem Stift. In Kombination mit Fineliner ergibt sich durch den Einsatz von Tuschestiften eine wunderbare Tiefe im Porträt.

BLEISTIFTE

Bleistifte gehören zur Grundausstattung eines jeden Zeichners. Für eine Vorzeichnung eignen sich besonders die harten (H) Bleistifte, denn sie sind leicht in ihrer Strichstärke und somit nicht stark auf dem Papier zu sehen. Mit weichen (B) Bleistiften lassen sich Schnellskizzen besonders gut darstellen, sowie harte Kontraste in Zeichnungen.

SCHAU IN DEINEN SCHUBLADEN NACH, WELCHE STIFTE DU BEREITS HAST, UND TESTE SIE DIREKT HIER!

PAPIERE

Zeichenpapiere unterscheiden sich in ihrer Zusammensetzung, ihrer Oberflächenstruktur, ihrer Dicke und ihrer Farbigkeit.

Gute Zeichnungen wirken auf hochwertigem Zeichenpapier kontrastreicher, Farben bleiben besser stehen.

Brauner und farbiger Zeichenkarton eignet sich für die Darstellung von Lichtspiegelungen mit hellen Stiften.

Handgeschöpfte Papiere mit Einschlüssen lassen sich für spannende Arbeiten einsetzen.

UNSERE EMPFEHLUNGEN

Schwarzes Papier: Gefärbter Fotokarton

Kraftpapier: Marpa Jansen Skizzenblock braun

Zeichenblock: Hahnemühle Skizze 190 Sketch

WOWEFFEKT!

Mit der Verwendung von farbigen Papieren kannst du auf einfachste Weise tolle Effekte erzeugen. Probiere es aus und zeichne das gleiche Motiv auf verschiedenen Papieren!

DIE MOTIVE

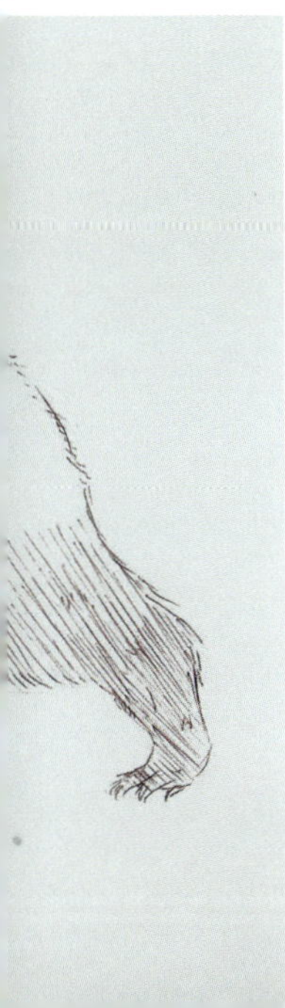

SÄUGETIERE

Da Säugetiere mit uns die meisten Gemeinsamkeiten haben, fühlen wir zu ihnen oft eine besondere Verbindung. Wir können ihre Emotionen nachfühlen und mit ihnen in direkte Kommunikation treten. In Zeichnungen wird diese Verbindung deutlich. Ausdruck und Emotionalität dominieren in diesem Feld und benötigen besondere Aufmerksamkeit.

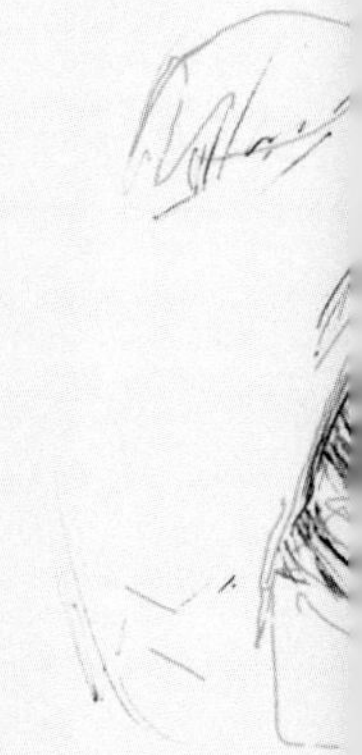

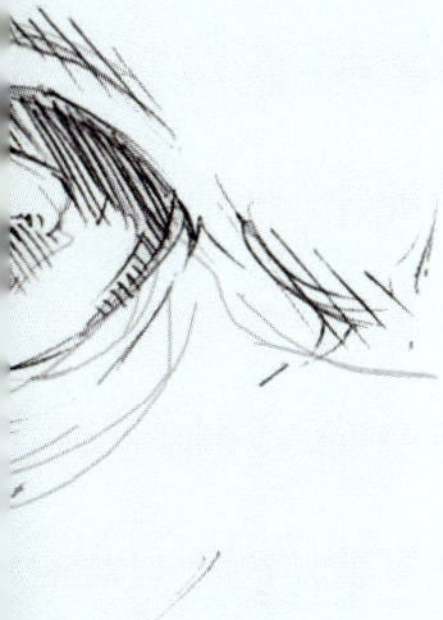

HUNDE ZEICHNEN

Hunde gibt es in unzähligen Farben und Formen. Die sehr unterschiedlichen Proportionen stellen Zeichner/innen vor besondere Herausforderungen. Vor allem die Gesichtszüge unterscheiden sich oft stark. Hierauf sollte besonderes Augenmerk gelegt werden.

MATERIAL

» schwarzer Kugelschreiber
» weißes Papier

WOWEFFEKT!

Wenn du Deteils wie die Hundeschnauze, typische Hundeaugen und -füße beherrschst, werden dir charakterstarke Hundeporträts leicht fallen.

VORSKIZZE

Die Nase eines Hundes ähnelt einer Herzform. Füge anschließend die beiden Nasenlöcher und die Linie, die die Nase in zwei Flügel teilt, hinzu.

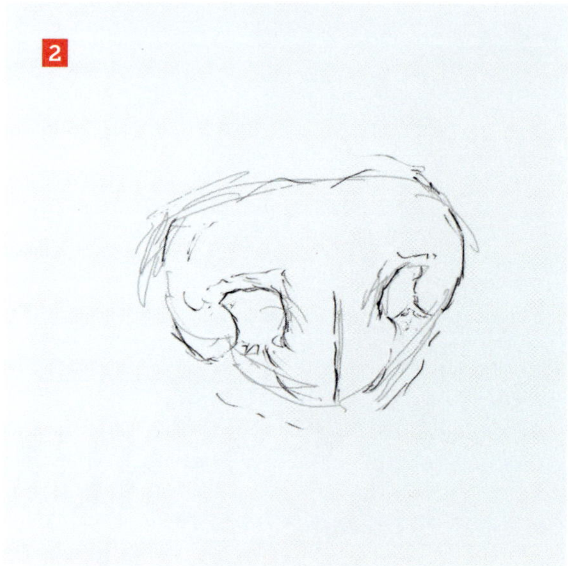

KONTUR & AUSARBEITUNG

Arbeite mit etwas kräftigeren Linie die Details der Nase aus. Achte dabei darauf, dass die Linie auf keinen Fall durchgezogen ist und nicht zu perfekt aussieht.

OUTLINES & SCHATTEN

Setze leichte Schatten mit einer 45°-Schraffur. Je mehr Weißraum du lässt, desto mehr Glanz bekommt deine Hundenase.

DIE KONTUR DES AUGES

Das Auge ist rund, die Falten und das Fell um das Auge herum stellen die charakteristischen Merkmale eines Hundeauges dar.

5

AUSARBEITUNG DER OUTLINES

Mit kleinen feinen Strichen skizzierst du nun das Fell. Achte darauf, dass du die entsprechenden Falten und Wimpern getreu wiedergibst.

6

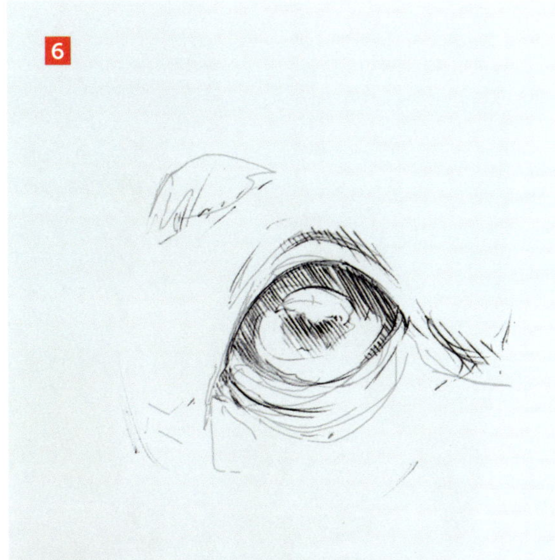

SCHRAFFUR

Integriere Licht und Schatten mit unterschiedlich starkem Strich. Achte auf den weißen Punkt im Auge und den Schatten, den das Licht auf die Pupille wirft.

7

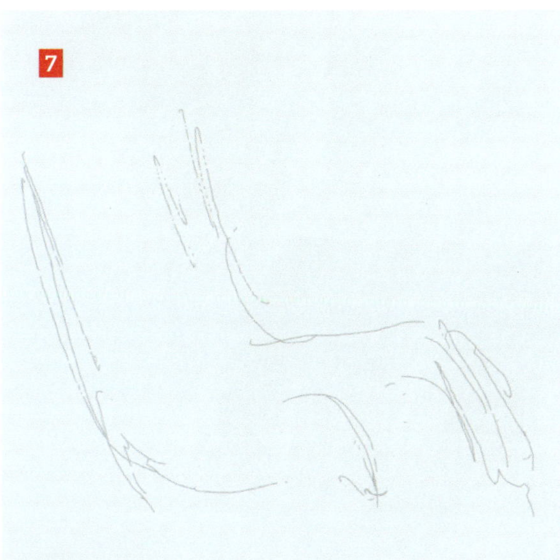

VORSKIZZE

Der Hundefuß gleicht dem Buchstaben L. Je nach Hunderasse und Alter, sind die Pfötchen und Beine breiter oder schmaler. Achte auf diese Kleinigkeit.

8

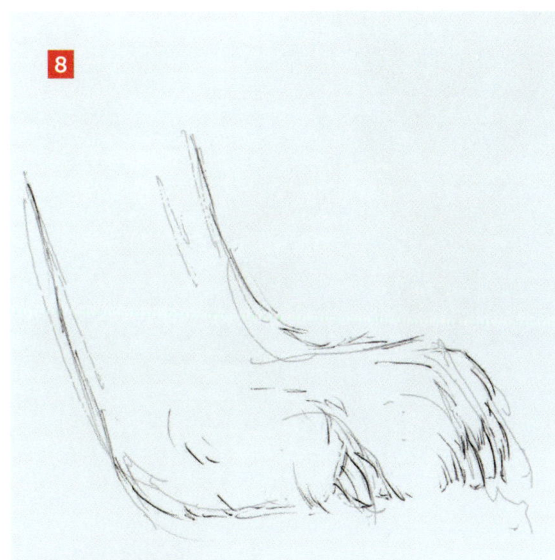

AUSARBEITUNG

Mit einem kleinen Schwung von Linien, aneinander gesetzt, zeichnest du das Fell entlang der Pfote.

DER ALTE HERR

Die Nachkolorierung einer Strichskizze mit breiten Filzstiften, wie hier bei dem Motiv des Deutsch Drahthaars, gibt dem Fell eine fließende Bewegung. Auf dem grauen Zeichenkarton heben weiße Highlights bestimmte Partien dezent hervor. Hierbei ist zu beachten die Highlights nur in Teilbereichen und nicht großflächig einzusetzen.

MATERIAL

» schwarzer Fineliner
» Marker (verschiedene Brauntöne, rosa, weiß)
» Kraftpapier

TIPP

Übrigens: Zu diesem Buch gibt es auch einen passenden Kurs „Genial Zeichnen: Tiere. Der Kurs zum Buch" mit zahlreichen Videoanleitungen:

VORZEICHNUNG

Beginne mit der Vorzeichnung, indem du mit dem H2-Bleistift die Outlines zeichnest. Mit dem Fineliner fährst du diese anschließend nach.

OUTLINES

Vervollständige die Outlines mit dem Fineliner. Achte darauf, die Striche locker aus dem Handgelenk zu ziehen und dich nicht in Details zu verlieren.

KOLORATION

Beginne die Koloration mit dem mittelbraunen Marker an den Stellen, die im Schatten liegen.

GRUNDIERUNG

Setze diese Grundierung mit dem mittelbraunen Marker fort und spare insbesondere den Bereich der Schnauze aus.

5

6

SCHATTEN

Mit dem dunkelsten Braunton setzt du jetzt die Schatten. Diese befinden sich um die Augen, unter den Ohren sowie an der Schnauze und bei den Lefzen.

AUGEN

Achte bei der Ausarbeitung der Augen auf den Schatten, den das Lid auf die Iris wirft und lass auf der Pupille weiße Stellen als Lichtreflexe stehen.

7

8

DETAILS

Koloriere die hellsten Stellen mit dem beigen Marker und hebe einzelne Härchen mit dem weißen Marker hervor.

VERVOLLSTÄNDIGEN

Die Schnauze kannst du mit einem leichten Rosaton kolorieren und weitere Akzente mit dem weißen Marker setzen.

TIEFER GELEGT

Kugelschreiberskizzen sind vielfältiger als Viele denken. Die dickflüssige Tinte schafft weiche Linien ohne zu verlaufen. Vor allem für spontane Zeichnungen unterwegs oder im Büro bietet sich der Kugelschreiber geradezu an. Einfach leicht vorzeichnen und dann mit groben Schraffuren Körperlichkeit schaffen: Wir zeigen, wie es geht!

MATERIAL

» blauer Kugelschreiber
» weißes Papier

WOWEFFEKT!

Wer mit dem Kugelschreiber gekonnt zeichnen kann, hat die Möglichkeit, in nahezu jeder Situation, ob geschäftlich oder privat, zu beeindrucken. Mit ein wenig Übung lernt man schnell kleine Kunstwerke im Handumdrehen auf Papier zu bringen.

VORSKIZZE
Die Vorzeichnung fertigst du mit einem 2H-Bleistift an.

OUTLINES
Mit einem schwarzen Kugelschreiber fährst du anschließend die Outlines nach und verfeinerst die Skizze. Beginne bei den Augen und der Schnauze.

OUTLINES
Nachdem der Kopf vollständig nachgefahren wurde, zeichnest du weiter am Körper mit lockeren Strichen.

OUTLINES
Zeichne auch kleine Falten an Hals und Rücken ein. Achte darauf, Linien zu unterbrechen und stets unverkrampft zu zeichnen.

OUTLINES ABSCHLIESSEN

Vervollständige die Outlines und präzisiere dabei auch die Pfoten.

SCHATTEN

Nun fügst du erste Schatten hinzu, und zwar die dunkelsten. Lege dir dafür zunächst die Flächen an und schraffiere diese dann mit engen, parallelen Strichen.

PLASTIZITÄT

Um mehr Plastizität, Struktur und Lichteffekte zu erhalten, setzt du hellere Schatten mit einer weniger dichten Schraffur.

DETAILS

Arbeite die Augen aus und setze noch hellere Schatten mit einer noch großzügigeren Schraffur am Unterbauch und Schwanz.

HAB-ACHT-STELLUNG

Bei braunem Zeichenkarton ist es wichtig, dunkler zu schattieren als gewohnt. Damit hierzu ein optischer Ausgleich geschaffen wird, sollten genügend Freiflächen offen gelassen werden. Mit dezenten Highlights kann der gesamte Raum zwischen hell und dunkel abgebildet werden, was zum runden Gesamtbild beiträgt.

MATERIAL

» schwarzer Fineliner
» Marker (grau, weiß)
» Kraftpapier

WOWEFFEKT!

Weniger ist mehr: Auf farbigen Untergründen kann man mit wenigen gekonnt gesetzten kräftigen Schatten und dezenten Highlights maximale Wirkung erzeugen.

VORSKIZZE

Lege mit dem 2H-Bleistift die Vorskizze an. Der Windhund zeichnet sich durch seine charakteristische schmale Körperform und die lange Schnauzenpartie aus.

KONTUREN

Fahre die Konturen mit dem schwarzen Fineliner nach, beginnend am linken Vorderbein und dem Brustkorb.

OUTLINES ABSCHLIESSEN

Vervollständige die Konturen bzw. Outlines. Vergiss dabei die Augen und Ohren nicht sowie den Schwanz.

KOLORATION

Beginne die Koloration mit dem mittleren Grauton für die Schattenbereiche. Arbeite minimalistisch, lass viel Weißraum stehen.

SCHATTEN & DETAILS

Arbeite das Auge mit dem Fineliner aus, aber verliere dich dabei nicht in Details. Ergänze Schatten an Schwanz und Hüfte.

HIGHLIGHTS

Abschließend setzt du mit dem Gel-Stift Lichtreflexe an all jenen Partien, die nach oben zeigen, von dort kommt das Licht.

MARKER & FINELINER

KUGELSCHREIBER

KUGELSCHREIBER

BLEISTIFT

FINELINER

AQUARELL & FINELINER

BLEISTIFT

MARKER

MARKER

KUGELSCHREIBER

BLEISTIFT

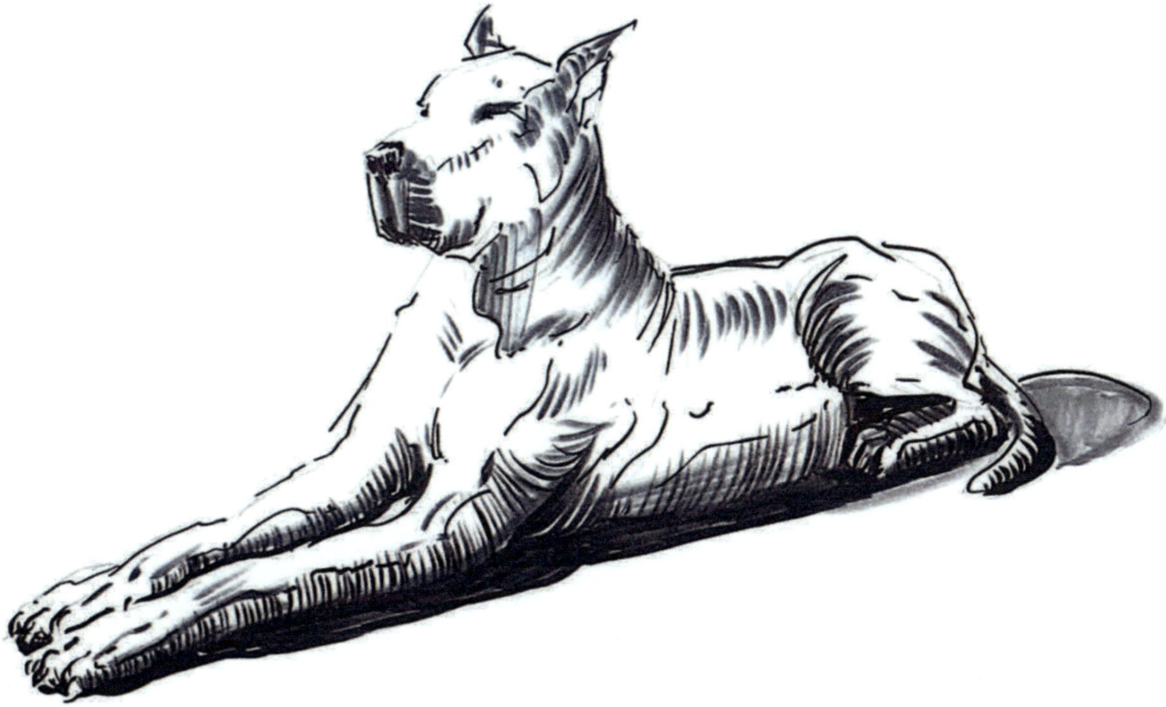

TUSCHESTIFT

MARKER & FINELINER

BLEISTIFT

KATZEN ZEICHNEN

Katzen beeindrucken durch ihre geschmeidige Beweglichkeit und elegante Körperhaltung. Gleichzeitig wirken sie liegend wie sitzend in sich ruhend und entspannt. Der Wechsel von instinktgesteuertem Raubtier zum verspielten Fellball ist bei Katzen fließend. Diese Vielseitigkeit macht Katzen zu spannenden Zeichenmotiven. Vor allem ihre Augen faszinieren uns immer wieder.

MATERIAL

» schwarzer Kugelschreiber
» weißes Papier

WOW EFFEKT!

Die Augen sind das Tor zur Seele. Für eine ausdruckstarke Abbildung einer Katze solltest du ihren Augen viel Tiefe durch Schattierungen und Highlights geben.

1

2

ZÄHNE ZEIGEN

Durch den Kontrast von Zähnen und Rachen, ergibt sich eine schöne Tiefe. Je tiefer du in den Mund hineinschaust, desto dunkler wird er schraffiert.

DAS AUGE

Die Augen einer Katze sind etwas schräg angebracht. Wie bei anderen Tieren auch, ist der Glanz im Auge sehr wichtig.

3

4

DIE TATZEN

Die Tatzen müssen weich gezeichnet werden. Das Fell um die Tatzen herum wird mit kleinen Strichen angedeutet.

KÖRPERHALTUNG

Katzen kommunizieren durch ihre Körperhaltung. Entscheide welche Haltung deine Zeichnung annehmen soll.

PROBIERE ES GLEICH AUS: HIER IST PLATZ FÜR DEINE ZEICHNUNG!

SAMTOHREN

Ein Kurzhaar lässt sich gut mit kurzen, schnellen Strichen skizzieren. Hier wurde auf lange Umrisslinien verzichtet. Die eher suchende Strichführung sorgt für einen zotteligen und unruhigen Effekt, der sehr gut zum Charakter des Motivs passt. Kombiniert wird dies mit unterschiedlich stark angedrückten Schraffuren, die die Fellmusterung andeuten.

MATERIAL

» schwarzer Kugelschreiber
» weißes Papier

WOWEFFEKT!

Über die Darstellung der Fellstruktur lässt sich dem Motiv Charakter und Persönlichkeit verleihen. Probiere es aus und zeichne das Fell mal mit kräftigen, kurzen Strichen, mal mit weichen langen.

GRUNDFORM

Zeichne zuerst grob den Oberkörper und die Vorderbeine vor. Achte auf die Körperhaltung der Katze.

AUSARBEITUNG

Skizziere jetzt das Gesicht in die Kopfform hinein, sowie die Hinterbeine und den Schwanz.

SCHATTEN

Erhöhe mithilfe deiner Strichstärke den Kontrast. Woher kommt das Licht? Schattiere deine Zeichnung dementsprechend.

FELL

Mit kleinen gleichmäßigen Strichen deutest du das Fell entlang deiner Vorskizze an.

DETAILS

Vervollständigen das Fell entlang des Umrisses. Variiere mit den Strichlängen, denn gerade dort, wo die Haare länger sind werden die Striche etwas länger gezogen.

TIEFE

Nun setze an manchen Stellen bewusst kräftigere Striche. Diese geben deiner Zeichnung die entsprechende Tiefe.

MUSTERUNG

Verteile kleinere Fellandeutungen in Form von kleinen Strichen über den gesamten Körper der Katze.

AUSARBEITUNG

Intensiviere dieses Prinzip um die hellen und dunklen Stellen im Fell anzudeuten.

SCHATTEN

Deute mit einer schrägen Schraffur dunklen Stellen im Fell an. Wichtig ist der Nacken, dort wirft der Kopf mehr Schatten.

LICHT

Die schräge Schraffur spiegelt das Licht, sowie die Schattenseiten im Fell. Alles unterhalb des Körpers wird dunkler schraffiert.

FEINSCHLIFF

Je nach Farbe des Felles, kannst du entscheiden wie viele Schraffuren eingesetzt werden. Bei einer schwarzen Katze ist die Schraffur natürlich am intensivsten.

BLEISTIFT

TUSCHESTIFT

BLEISTIFT

BLEISTIFT

BLEISTIFT

BLEISTIFT

MÄUSE ZEICHNEN

Kleinere Säugetiere, wie Mäuse und Nager, laden zur dynamischen und flüchtigen Skizze ein. Neben einer gut ausgearbeiteten Gesichtspartie bleiben die anderen Körperteile oft nur angedeutet. Dadurch wird das Quirlige und Wuselige dieser Tiere in der Zeichnung verdeutlicht. Viel Ausdrucksstärke ergibt sich auch über ein wahlweise struppiges, nasses oder weiches Fell.

MATERIAL

» schwarzer Kugelschreiber
» weißes Papier

WOWEFFEKT!

Lege den Fokus bewusst auf die Gesichtspartie, um aus dem Tier eine regelrechte Persönlichkeit zu machen.

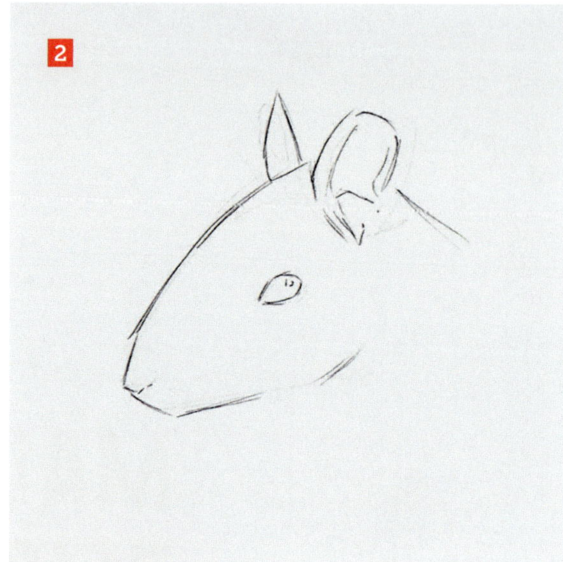

DAS GESICHT

Die kleinen dunklen runden Augen und die runden Ohren sind wichtige Wiedererkennungszeichen einer Maus. Daher solltest du hierauf besonders den Fokus legen.

DIE KOPRFFORM

Auch die Kopfform ist entscheidend. Mäuse, Meerschweinchen und Ratten haben unterschiedliche Kopfformen. Schau genau hin.

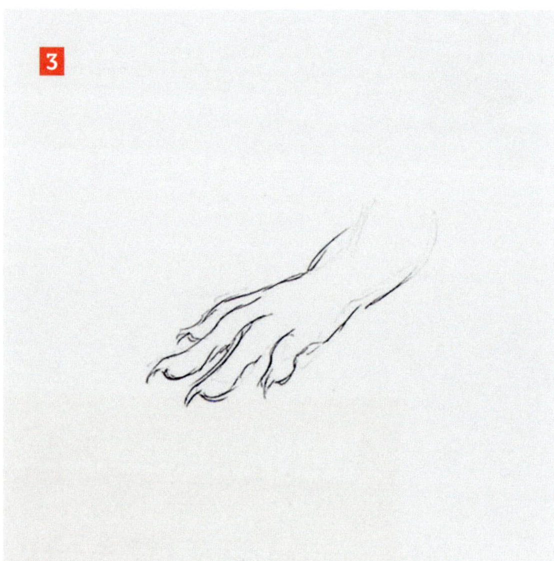

DIE FINGER

Die Finger sind leicht wellenartig und im Verhältnis zum Gesamtkörper besonders lang, damit die Maus besser greifen kann.

PROBIERE ES GLEICH AUS: HIER IST PLATZ FÜR DEINE ZEICHNUNG!

PIEPS!

Seitenansichten haben viele Vorteile: Die Proportionen des Tiers werden nicht perspektivisch verzerrt, was diese Ansicht ideal für Zeichenanfänger/innen macht. In einer Seitenansicht lassen sich zudem Studien anfertigen, die einem komplexen Bildaufbau vorausgehen können. Sie helfen, ein Gefühl für Körperlichkeit und Texturen zu geben und lassen sich gut durch Porträts ergänzen.

MATERIAL

» blauer Kugelschreiber
» weißes Papier

WOWEFFEKT!

Hier kannst du dich ganz auf die Körperform und Proportionen konzentrieren, da die Schwierigkeit von perspektivischen Verzerrungen entfällt.

GRUNDFORM

Mit einem 2H-Bleistift legst du zunächst die Grundform für die Vorzeichnung an.

VORSKIZZE

Ergänze die Grundform mit dem Schwanz, den Ohren und Beinen sowie der Schnauze und den Schnurrhaaren.

OUTLINES

Mit einem schwarzen Kugelschreiber fährst du die Konturen nach und zeichnest dabei aber direkt das Fell mit kurzen Strichen ein.

FELLSTRUKTUR

Setze die Konturen und die Fellstruktur fort. Verliere dich nicht in Details. Es reicht aus, das Fell an wenigen Stellen anzudeuten.

STRUKTUR ABSCHLIESSEN

Vervollständige das Motiv mit dem schwarzen Kugelschreiber.

SCHATTEN & FARBEFFEKT

Setze Schattenflächen mit einer schwachen Schraffur und dem schwarzen Kugelschreiber. Mit einem blauen Kugelschreiber arbeitest du abschließend Details am Kopf aus wie Augen, Schnauze und Schatten.

PFERDE ZEICHNEN

Pferde gehören zu den ältesten Tiermotiven in der Kunst überhaupt. Sie symbolisieren Stärke, Leidenschaft und Ehrlichkeit. Die Beziehung zwischen Pferd und Mensch ist Jahrtausende alt und wirkt bis heute nach. Um dieses Gefühl in einer Zeichnung zu transportieren, ist es entscheidend, die Körperhaltung des Tieres genau wiederzugeben.

MATERIAL

» schwarzer Kugelschreiber
» weißes Papier

TIPP

Wenn du dir vorab einen Überblick über die verschiedenen Pferderassen verschaffst, wird es dir leichter fallen, die jeweils charakteristischen Merkmale eines bestimmten Pferdes zeichnerisch festzuhalten.

1

BEINFORM

Das Hinterbein eines Pferdes ist mit am schwierigsten zu zeichnen. Achte auf die einzelnen Winkel, die das Bein ausmachen.

2

GESICHTSKONTUR

Das Gesicht eines Pferdes ist sehr lang. Die Ohren und die Augen liegen auf einer vertikalen Linie und ergeben die Breite des Gesichtes.

3

AUGENFORM

Ein wichtiges Merkmal eines Pferdeauges sind seine langen Wimpern. Wie auch bei menschlichen Augen sind die Wimpern eines Pferdes verschieden farbig.

4

GRUNDFORM

Beginne mit Kreisen und Linien und erstelle dir so eine leichte Vorskizze. Sie bildet die Übergänge zum Kopf und zu den Beinen.

5

6

DIE LINIE

Der Rücken bildet eine fast gerade Linie. Du kannst also bei deiner Vorskizze auch mit einem Rechteck als Grundform beginnen.

TRABEN ODER GALOPPIEREN

Je nach Bewegung des Pferdes sind die Beine unterschiedlich angewinkelt. Achte darauf, welchen Ausdruck deine Skizze vermitteln soll.

7

8

IN BEWEGUNG

Modelliere dir immer zuerst, mithilfe einer leichten Vorskizze, die Grundform vor und arbeite diese anschließend aus.

AUSARBEITUNG

Arbeite die sichtbaren Linien aus. Achte darauf, welches Bein vor welchem steht, welches man sieht und welches nicht.

WILDE FREIHEIT

Tiere in Bewegung zu zeichnen erfordert ein besonderes Maß an Verständnis der Anatomie. Hierfür ist eine gute Beobachtungsgabe nötig. Aber es lohnt sich, genau hinzuschauen, denn Tiere im Bewegungsfluss gehören zu den spannendsten Zeichenmotiven überhaupt. Illustrationen in diesem Bereich bieten Gelegenheit vom „Tier als Objekt" hin zur „lebendigen Darstellung" zu gelangen.

MATERIAL

» brauner Kugelschreiber
» weißes Papier

WOW EFFEKT!

Diese Pferdedarstellung lebt vom starken Hell-Dunkel-Kontrast, der zugleich die gleißenden Lichtverhältnisse der Umgebung wiedergibt. Zeitgleich wird damit die Darstellung der Bewegung unterstützt.

VORSKIZZE

Zeichne als erstes die Gesamtkontur des Pferdes mit leichten Linien vor. Überlege dir gut, wie die Beinhaltung dabei aussehen soll.

KONTUR

Nun kannst du beginnen, die Kontur auszuarbeiten. Achte dabei darauf, dass die Linie durchaus unterbrochen wird. Dadurch erhält deine Skizze eine gewisse Dynamik.

OUTLINES ABSCHLIESSEN

Achte darauf, dass die Linien nicht durchgängig sind. Je mehr Fell zu sehen ist, desto mehr werden die Linien unterbrochen.

MÄHNE & SCHWEIF

Auch bei der Mähne ist darauf zu achten, dass die Linie in kurzen dynamischen Strichen gezeichnet wird.

SCHATTEN & SCHRAFFUR

Durch den Einsatz des Schattens und der Schraffur wirkt die Zeichnung sofort dreidimensionaler. Die vier wichtigsten Stellen sind das Auge, die beiden hintenliegenden Beine und der Bereich unter dem Schweif.

TIEFENWIRKUNG

Nun vervollständige deine Zeichnung mit der Andeutung des Felles. Mithilfe einer schrägen Schraffur kannst du Licht und Schatten im Fell darstellen.

KRAFTPAKET

Eine passend zum Motiv ausgewählte Technik kann den gewünschten Ausdruck eines Körpers unterstützen. Grobe Striche mit vollen Farben geben einem Tier Kraft und Standfestigkeit.

MATERIAL

» schwarzer Fineliner
» Marker (Brauntöne, Rottöne, beige)
» weißes Papier

WOWEFFEKT!

Durch geschlossene Formen und dunkle Farben wirken Bildelemente schwer und gesetzt. In der Kombination mit akzentuierten Umrisslinien, ergibt sich so ein einprägsames Bild.

1

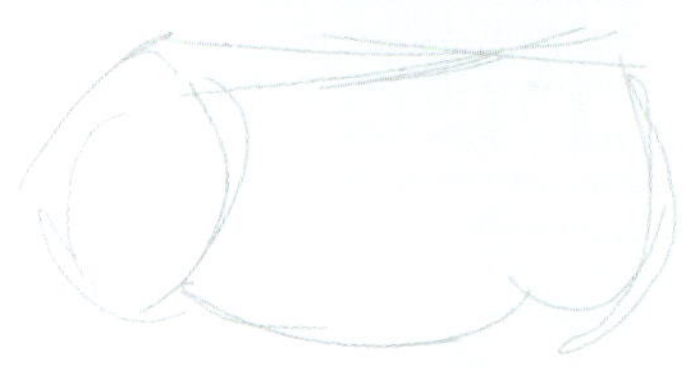

VORSKIZZE

Die Vorskizze beginnst du am besten mit dem Rumpf. Verwende dafür einen 2H-Bleistift und achte darauf, genügend Platz für die Beine sowie den Hals und Kopf zu lassen.

2

PROPORTIONEN

Die Beine sind etwa so lang wie der Rumpf hoch ist, und der Hals mit Kopf umfasst die Länge des Rumpfes. Beachte dies beim Vervollständigen der Vorzeichnung, auch dass der Kopf etwa zweimal in den Hals passt.

3

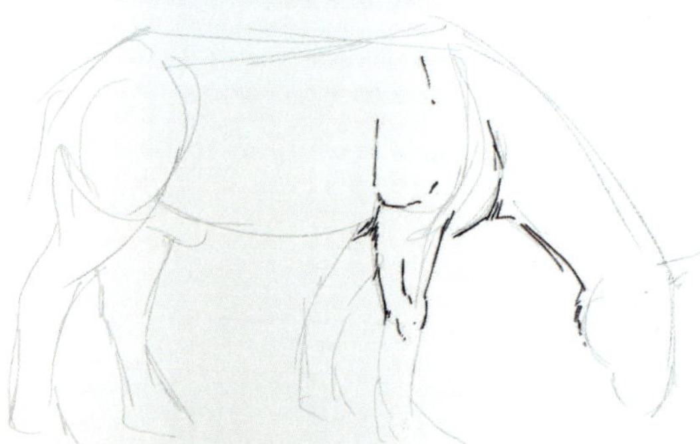

KONTUREN

Nun beginnst du, die Konturen mit dem Fineliner nachzuzeichnen. Beginne am rechten Vorderbein.

4

OUTLINES ABSCHLIESSEN

Vervollständige die Outlines. Arbeite mit lockeren Strichen und vermeide es, Linien komplett durchgängig zu zeichnen, damit die lockere Fellstruktur sichtbar bleibt.

5

KOLORATION

Mit dem hellsten Braunton beginnst du die Koloration. Arbeite dabei flächig und setze die Marker-Linien wie bei einer Schraffur dicht an dicht nebeneinander.

6

GRUNDIERUNG

Grundiere den gesamten Korpus mit dem hellbraunen Marker. Lass dabei aber die Beine sowie Bauch, Mähne und Bereiche des Halses frei.

7

PLASTIZITÄT

Mit dem dunkleren Marker schaffst du nun Plastizität, indem du die Grundierung an den Rändern farblich überlagerst. Das Auge kolorierst du ebenfalls.

8

KONTRASTE

Erstelle erste Kontraste, indem du die Mähne und den Schweif dunkelbraun kolorierst. Lass die Fineliner-Konturen sichtbar.

9

MUSTERUNG

Die typischen weißen Unterbeine kolorierst du partiell mit Beige und lässt die Bereiche, auf die das Licht scheint, weiß stehen.

10

SCHATTEN

Nun ergänzt du mit dem dunklen Braun die Schatten am Unterbauch, unter dem Hals und Kopf sowie an den Gelenken.

11

STRUKTUR

Mit feinen Strichen schaffst du Struktur an der Mähne sowie dem Schweif und im Bereich der Oberschenkel.

BLEISTIFT

KUGELSCHREIBER

FINELINER

KUGELSCHREIBER

BLEISTIFT

FINELINER

FINELINER

FINELINER

KÜHE ZEICHNEN

Von der Höhlenmalerei über griechische Götterbilder bis hin zur Schokoladenwerbung: Rinder sind Sympathieträger. Das Bild einer Kuh vermittelt Heimeligkeit und Gelassenheit. Ein Stier dagegen verkörpert stürmische Wut. Im urbanen Raum sind Kühe aus unserer Sehgewohnheit verschwunden. Umso wichtiger ist es, ihnen ein zeichnerisches Denkmal zu setzen.

MATERIAL

» schwarzer Kugelschreiber
» weißes Papier

WOWEFFEKT!

Versuche ruhig auch mal eine Kuh in ungewöhnlichen Farben und mit Markern zu kolorieren. Wichtig ist nur, dass du die charakteristische Körper- und Kopfform beherrschst.

1

2

LICHT & SCHATTEN

Mit einer einfachen Schraffur deutest du Licht und Schatten an. Handelt es sich um einen leichten Schatten, sollte die Schraffur ganz leicht ausfallen. Für einen intensiven Schatten nutze einen stärkeren Strich.

JUNGTIERE

Nicht nur bei Kühen, sondern auch bei allen anderen Tieren sind die Formen weicher, wenn die Tiere jung sind. Das Fell ist oft noch kurz und die einzelnen Haare wellig.

3

4

FEINHEITEN

Achte auf die Linie, die den Rücken darstellt. Im Nacken sind gewellte Haare. Das Hinterteil ist leicht nach oben gestreckt. Diese Merkmale machen die Kuh als Kuh aus.

OUTLINES & OHRENFORM

Der obere Bereich ist wenig ausgefranzt. Der untere weißt mehr Haarstruktur auf. Das Mittelohr mit Schraffur ausarbeiten.

KUGELSCHREIBER

BLEISTIFT

DIE JUNGE DAME

Auch eine simple, schnell skizzierte Seitenansicht kann dynamisch wirken. Erzeugt wird dieser Effekt durch den gezielten Einsatz unterschiedlicher Strichstärken. Die wichtigsten Körperformen werden mit dieser Methode hart umrissen. Glatte Körperseiten bleiben dabei offen oder werden nur angedeutet. Schattenwurf und Fellflecken runden das Bild ab.

MATERIAL

» Bleistft (2B)
» weißes Papier

WOWEFFEKT!

Unterschiedliche Strichstärken verleihen auch einer schlichten Skizze Dynamik und Plastizität.

1

VORSKIZZE

Zeichne zuerst den Rumpf der Kuh. Hier kannst du dich an der Form eines Rechtecks orientieren. Mit der Schräge links deutest du den Hals an.

2

PROPORTIONEN

Zeichne nun die einzelnen Körperteile Beine, Kopf und den Schwanz hinzu. Achte dabei auf die Proportionen. Die Beine dürfen nicht zu lang, aber auch nicht zu kurz sein. Ähnlich verhält es sich beim Kopf.

3

KONTUREN

Achte darauf, dass die Linie zwischendurch schwächer oder sogar unterbrochen werden sollte.

4

DETAILS

Lege Wert auf die einzelnen Details. Wie ist der Rücken geformt? Wie sehen die Knie aus? Wie weit hängt der Bauch nach unten?

5

6

OUTLINES ABSCHLIESSEN

Vervollständige die Outlines und die restlichen Details. Mit unterbrochenen Linien deutest du die Fellstruktur besser an.

KUHFLECKEN

Skizziere die einzelnen Kuhflecken an und schraffieren diese mithilfe der 45°-Schraffur. Setze die Intensität deiner Schraffur an dunkleren Stellen des Felles intensiver ein.

7

PLASTIZITÄT

Mit kräftigem Strich an den dunklen Stellen schaffst du Plastizität. Die tiefe Wirkung entsteht durch leichte und starke Striche.

WEISE AUGEN

Kühe eignen sich ideal für komplexe Porträtzeichnungen. Ausladende Hörner und die vielen konvexen und konkaven Formen regen zum Schattieren an.

MATERIAL

» Bleistift (6B)
» weißes Papier

WOWEFFEKT!

In diesem Porträt kommen die sanften großen Augen besonders zur Geltung. Diese sind dunkel ausgearbeitet und kontrastieren so gut den Hintergrund.

1

VORSKIZZE

Mit einem kräftigen Strich an den dunklen Stellen schaffst du nun Plastizität. Die tiefe Wirkung entfaltet sich enorm durch leichte und starke Striche.

2

KONTUREN

Jetzt kannst du die Konturen ausarbeiten. Dazu gehören die Ohren, die Hörner und die ersten Details der Nase. Achte dabei auf die Proportionen.

3

KONTRASTE

Hebe die sichtbare Kontur durch intensivere Striche hervor. Die Linienführung sollte dabei stets unterbrochen wirken.

4

OUTLINES

Leichte und stärkere Striche spiegeln Licht und Schatten. So werden das Fell und die Falten langsam deutlich.

5

OUTLINES ABSCHLIESSEN

Übertrage dieses Prinzip auf den gesamten Kopf. An welcher Stelle ist die Haut, an welcher Stelle Fell zu sehen? Zeichne die Hörner und lasse die Spitze mit einer unterbrochen Linie enden.

6

PLASTIZITÄT

Nun kannst du deine Zeichnung durch das Andeuten des Felles lebendiger wirken lassen. Die Andeutung der Nasen- sowie der Ohrenhärchen und des Fells bringen mehr Plastizität in deine Zeichnung.

7

TIEFENWIRKUNG

Schraffiere die dunkelsten Stellen aus. Das wäre die Nase und das Auge. Lasse dabei den kleinen hellen Punkt im Auge frei.

8

SCHRAFFUR

Mit der 45°-Schraffur gibst du dem Kopf noch mehr Plastizität. Die Nase und der Bereich unter der Nase sollten am dunkelsten schraffiert werden.

9

LICHT & SCHATTEN

Schraffiere den Bereich unter dem Aug, dem Horn und am Hals. So entsteht eine schöne Tiefe. Das Licht kommt von links.

PROBIERE ES GLEICH AUS: HIER IST PLATZ FÜR DEINE ZEICHNUNG!

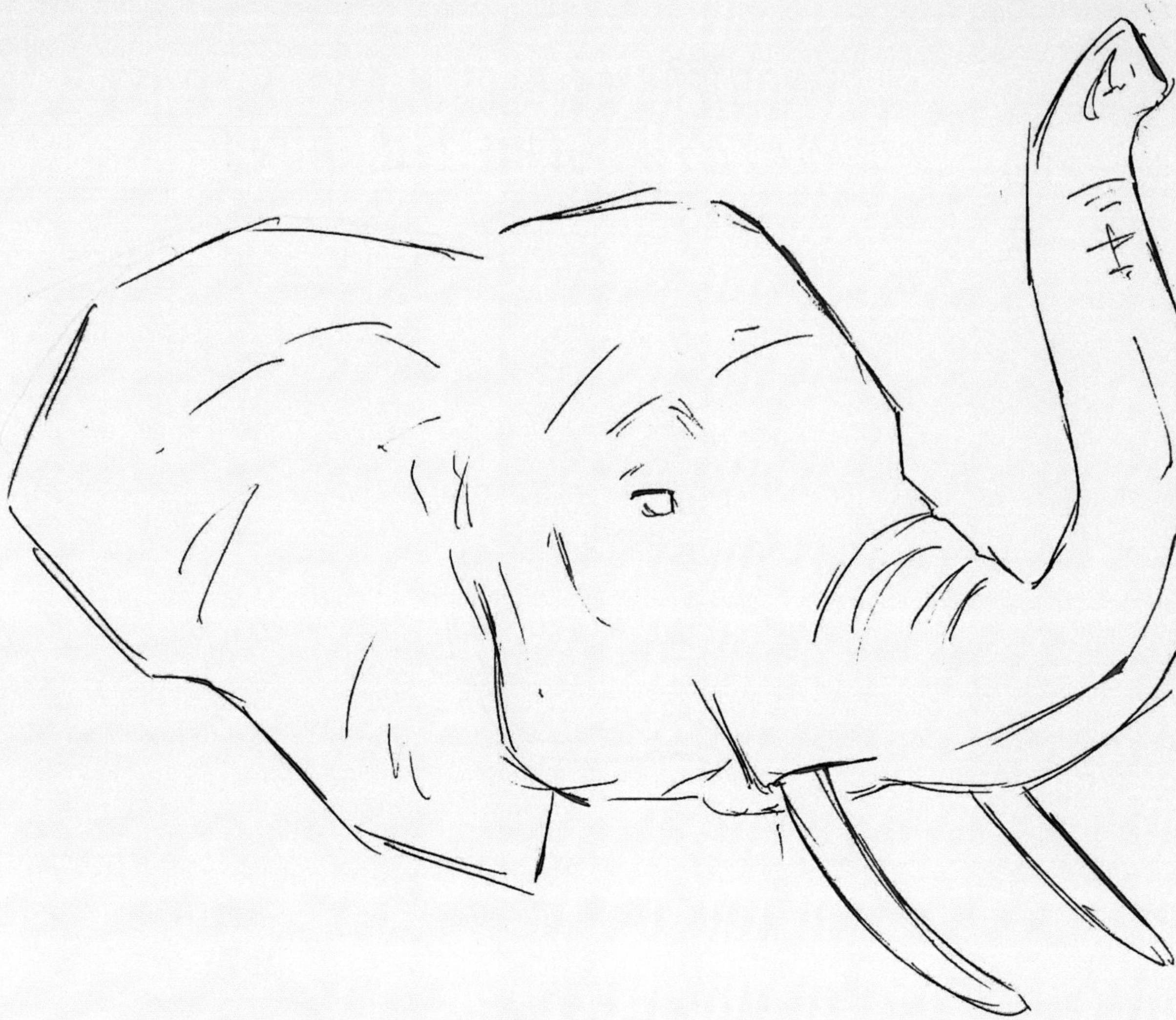

ELEFANTEN ZEICHNEN

Die größten Landtiere der Erde sind nicht ohne Grund ein beliebtes Zeichenmotiv: Elefanten verbinden viele interessante Formen, die es so nur bei ihnen zu finden gibt. In einer Zeichnung lassen sich die spannenden Details zu einem anatomisch korrekten Gesamtbild zusammenfügen. Elefanten strahlen Weisheit und Geselligkeit aus – nicht nur in Zeichnungen.

MATERIAL

» schwarzer Kugelschreiber
» weißes Papier

WOWEFFEKT!

Weniger ist mehr: Es lohnt sich, die außergewöhnlichen Formen von Elefanten mithilfe schlichter Outlines darzustellen und auf viele Details zu verzichten.

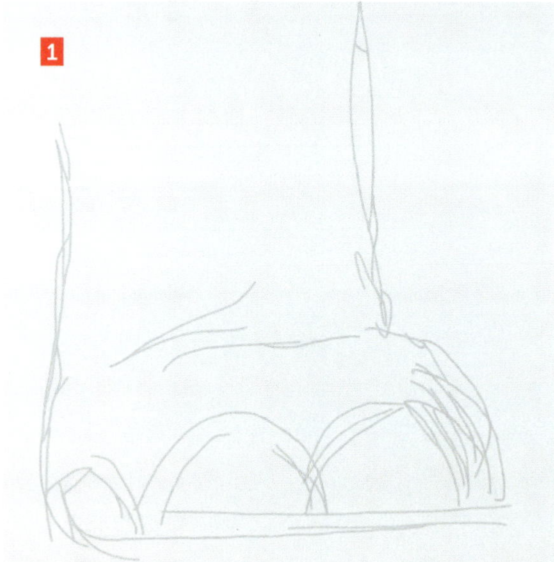

VORSKIZZE

Einen Elefantenfuß zu zeichnen ist nicht schwierig. Zwei senkrechte Linien und drei halb Kreise bilden den Fuß.

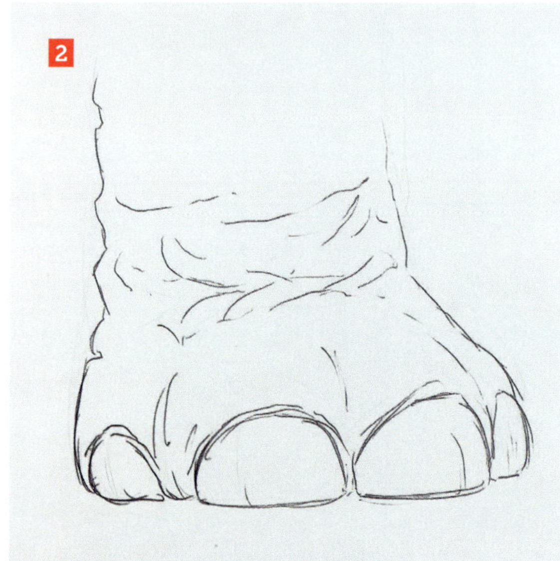

FALTEN

Jetzt kommen die typischen Falten in den Fuß. Viele Linien, die im unteren Bereich zusammenlaufen, bilden die Falten. Ein vierter angedeuteter Halbkreis bildet den vierten Zeh.

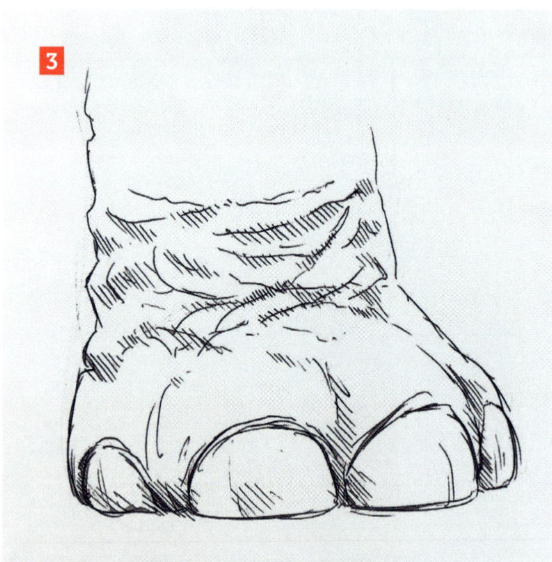

TIEFENWIRKUNG

Mit einer leichten Schraffur entlang der Falten sowie in dem Bereich zwischen den Zehen wirkt der Fuß plastischer.

PROPORTIONEN

Die Hauptform bildet ein Dreieck, das anschließend mit einigen schrägen Strichen ausgearbeitet wird. Auf halber Höhe des Kopfes befindet sich das Auge.

AUSARBEITUNG DER KONTUREN

Jetzt kannst du die Kontur des Kopfes fortsetzen. Achte dabei auf die unterbrochenen Linien. Diese bringen mehr Plastizität in deine Zeichnung. Auch die leichten Falten dürfen nicht fehlen.

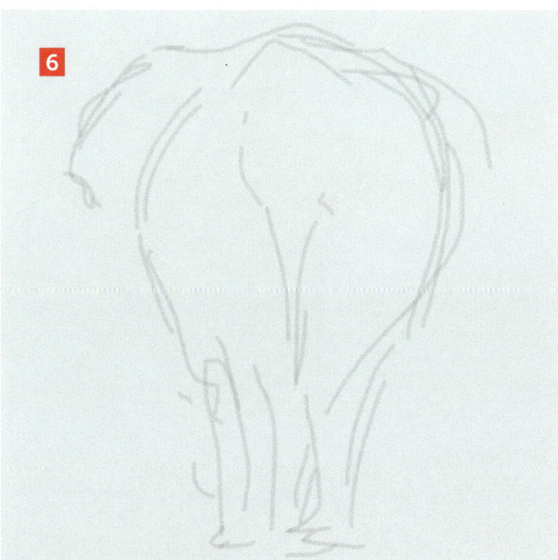

GLÜHBIRNENFORM

Zeichne den Elefanten von hinten in der Form einer Glühbirne. Setze links und rechts die Ohren an, unterteile den unteren Bereich in vier Füße.

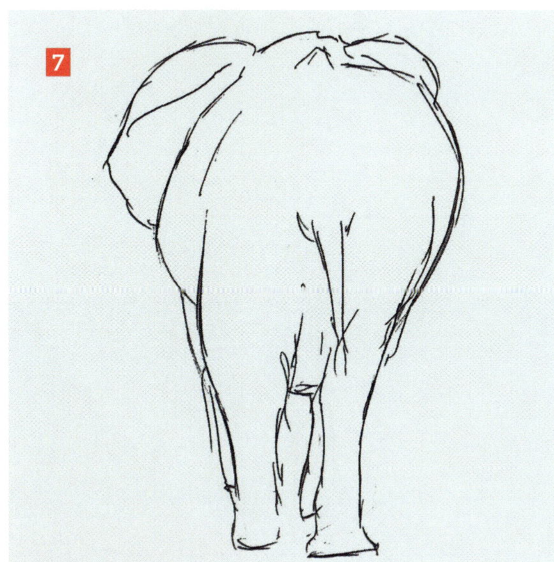

DETAILS & OUTLINES

Ist der Oberkörper auf einer Seite, in diesem Beispiel rechts, abgerundet, befindet sich der Elefant in Bewegung.

WAHRE GRÖSSE

In dieser schnellen Kuli-Skizze wird der Blick auf die ausdrucksstarke Körperstellung gelenkt. Hierzu werden starke Schattenräume anschraffiert und stark gestisch abgeschlossen.

MATERIAL

» blauer Kugelschreiber
» weißes Papier

WOWEFFEKT!

Die unruhige Strichführung suggeriert Bewegung. Trotz der groben und schnellen Zeichentechnik wirkt der Elefant dadurch besonders realistisch.

VORSKIZZE

Fertige mit dem 2H-Bleistift die Vorskizze an. Verzichte dabei auf Details wie Stoßzähne und Augen, arbeite mit groben Formen.

KONTUREN

Fahre mit einem blauen Kugelschreiber die Konturen nach und verfeinere die Vorskizze. Arbeite mit lockeren, zügigen Strichen.

OUTLINES ABSCHLIESSEN

Fahre so alle Outlines nach und ergänze die Stoßzähne. Lege mit dem Bleistift grob die Schattenflächen am Unterbauch fest.

PLASTIZITÄT & AUSARBEITUNG

Verstärke die Outlines mit weiteren, kräftigeren Strichen und arbeite zugleich die Füße, Augen sowie den Rüssel weiter aus.

SCHATTEN & DETAILS

Schraffiere die angelegten Schattenflächen und gib dem Rüssel sowie dem Kopf mit Falten ihre jeweils typische Form.

FINISHING

Ergänze weitere Schattenflächen mit einer zügigen und groben Schraffur und arbeite die Augen aus.

KUGELSCHREIBER & MARKER

KUGELSCHREIBER

MARKER

BÄREN ZEICHNEN

Im Bild des Bären vereinen sich gegensätzliche Charaktere. Zum einen sind Bären weiche, kuschelige Sympathieträger. Sie sind bei Kindern als Teddys beliebt und wurden auch in zahlreichen Zeichentrickfilmen verewigt. Andererseits stehen Bären in der Wildnis als größte Jäger an der Spitze der Nahrungskette. Diese wilde Kraft zeigt sich in Zeichnungen auch am Gebiss des Bären.

MATERIAL

» schwarzer Kugelschreiber
» weißes Papier

WOWEFFEKT!

Versuche einmal, deinen gezeichneten Bären mit Markern zu kolorieren. Orientiere dich dafür am Motiv auf Seite 31.

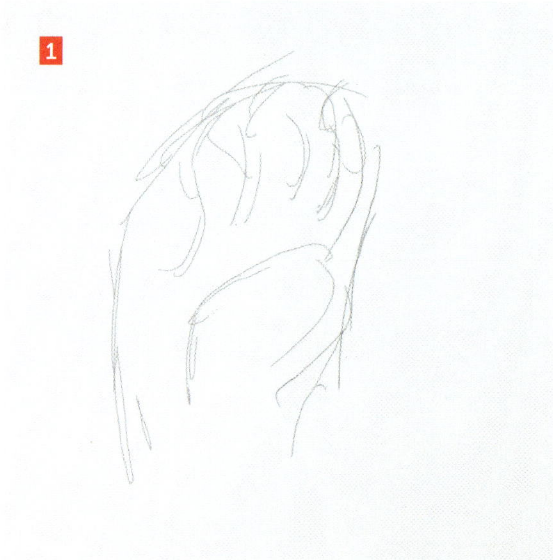

DIE GRUNDFORM

Die Bärentatze ist in ihrer Grundform sehr breit. Achte bei deiner Vorskizze auf die Proportionen.

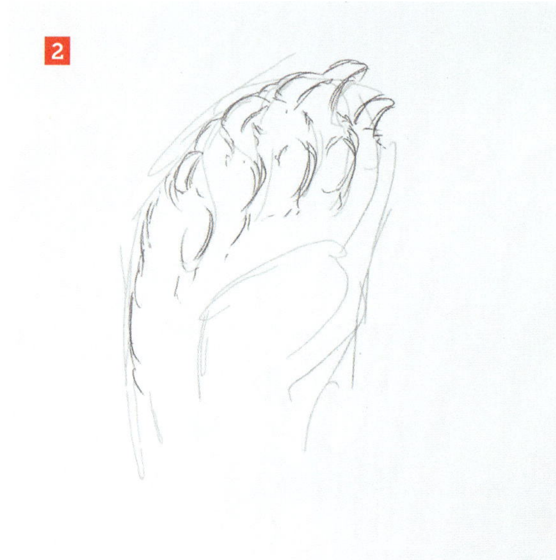

OUTLINES

Nun kannst du die Outlines nachzeichnen. Achte darauf, dass diese mit kleinen unterbrochenen Linien gezeichnet werden. So kannst du das Fell imitieren.

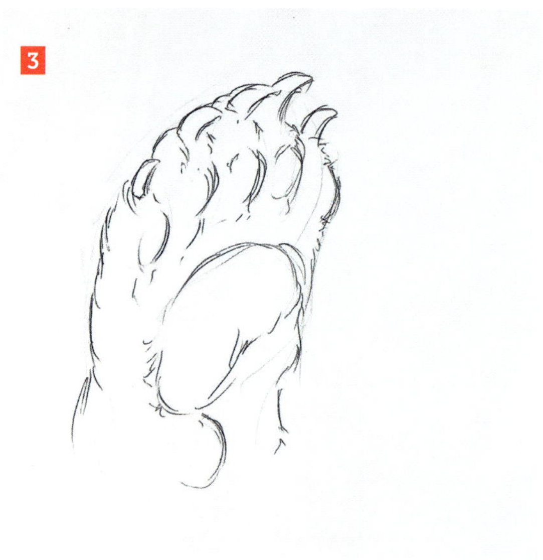

DETAILS

Zeichne die Zehen und das Fell dazwischen. Auch hierbei solltest du auf die unterschiedlichen Strichlängen achten.

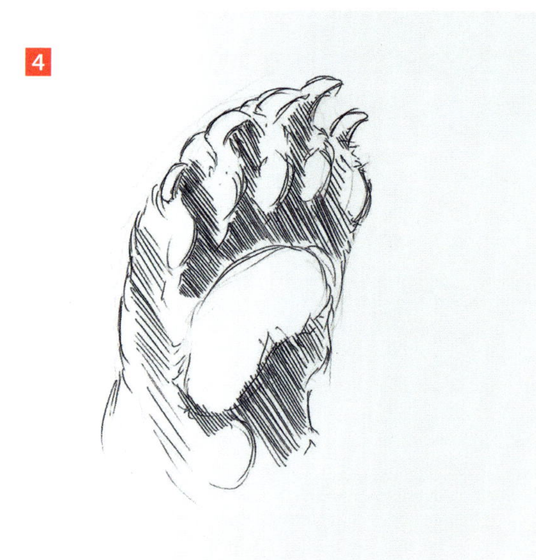

AUSARBEITUNG

MIt der 45°-Schraffur bringst du Licht und Schatten in deine Zeichnung. Lasse einige Stellen aus: das erzeugt räumliche Tiefe.

DIE KOPFFORM

Die Kopfform ist einfach aufgebaut. Sie besteht aus einem gestreckten Viereck. Der Übergang von Nase zur Stirn erfolgt auf der halben Strecke. Ebenfalls auf der halben Strecke unten beginnt der Ansatz zum Hals.

DETAILS

Ähnlich wie bei einem Hund sind die Lechzen leicht angewinkelt. Die Ohren sind leicht rundlich.

PROPORTIONEN IN BEWEGUNG

Die charakteristischen Merkmale sind der Nacken und die breiten Hinterbeine. Auch die Vorderbeine nicht zu schmal zeichnen.

PLASTIZITÄT

Achte bei der Ausarbeitung darauf, dass alles an einem Bär etwas rundlicher gezeichnet wird. Es gibt kaum gerade Linien.

HONIGMAUL

In diesem Motiv steht ein Aspket ganz klar im Fokus: das Gefühl für Textur. Das zottelige Fell des Bären soll mit einfachen Mitteln dargestellt werden. Hierfür wurden zwei Techniken eingesetzt: Zum einen gibt es keine durchgezogenen Konturlinien, sondern über kurze Strichführungen entsteht eine weiche Silhouette. Diagonal verlaufende Linienansätze unterstützen dies. Zum anderen setzt die Zeichnung auf grobe Schraffur, die die Fellstruktur und Richtung abbildet.

MATERIAL

» brauner Kugelschreiber
» weißes Papier

WOWEFFEKT!

Die einfachste Weise Fell darzustellen besteht darin, statt klare Konturlinien kurze Striche zu zeichnen und mit einer groben Schraffur die Fellstruktur anzudeuten.

VORSKIZZE

Beginne zunächst mit dem Rumpf des Tieres. Achte dabei darauf, wie sich Länge zu Breite verhält.

PROPORTIONEN

Die Beine sind sehr massiv. Das hintere Bein ist fast doppelt so breit wie die vorderen. Die Tatzen stehen leicht nach vorne gerichtet.

KONTUREN

Jetzt kannst du die Konturen ausarbeiten. Achte darauf, welche Beine im Vordergrund sind und welche im Hintergrund.

DETAILS & FELL

Zeichne mit leichten unterbrochenen Strichen das Fell entlang der Kontur nach. Orientiere dich an deiner Vorskizze.

OUTLINES ABSCHLIESSEN

Vervollständigen die Outlines. Mache das mithilfe einiger unterbrochener Linien. Die kurzen, aneinandergesetzten Linien geben das Fell optimal wieder.

PLASTIZITÄT

Mit der Schraffur des im Schattenbereich liegenden Beines gibst du deiner Zeichnung mehr Plastizität. Die Schraffur kann im 45°-Winkel angelegt werden.

GLANZ & TIEFE

Zeichne mit der gleichen Schraffur dunkle Bereiche im Fell ein. Achte auf tiefer liegende Bereiche, wie die der Muskulatur.

SCHWEINE ZEICHNEN

Schweine bringen Glück. Mit ihren intelligenten Augen und dem rosigen Körper stehen sie uns näher als wir manchmal zugeben wollen. Beim Zeichnen von Schweinen liegen die Herausforderungen vor allem in den ausdrucksstarken Gesichtszügen. Die Körperkonturen lassen sich recht leicht herleiten – ein weiterer Grund, viel Zeit auf den Kopf zu verwenden.

MATERIAL

» schwarzer Kugelschreiber
» weißes Papier

WOWEFFEKT!

Besonders borstig wird dein Schwein, wenn du an einzelnen Stellen mit kurzen, prägnanten Strichen Härchen andeutest.

KOPFFORM DES FERKELS

Seine Ohren und die große Nase machen den Unterschied zum Erwachsenentier aus. Skizziere als erstes die Kopfform und anschließend die Ohren und die Nase.

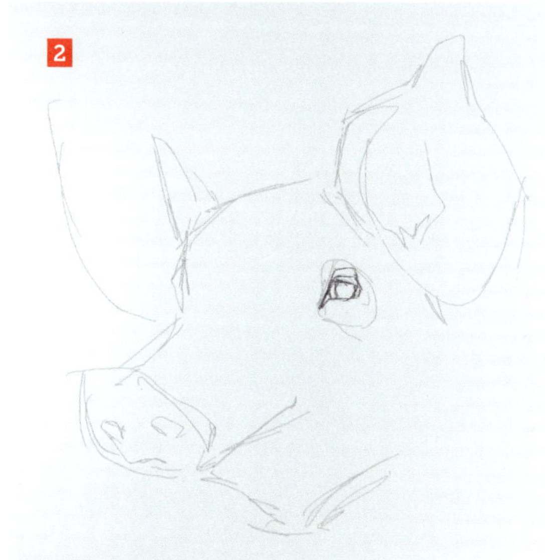

DETAILS

Nun kannst du mit weiteren Details deine Vorskizze erweitern. Füge die Nasenlöcher, das Auge und die Falten im Ohr hinzu.

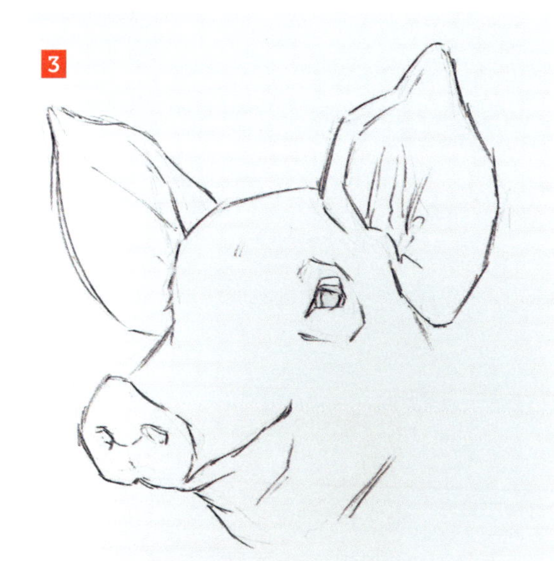

KONTUREN

Achte auf unterschiedlich starke Linien. Wie zum Beispiel am Nasenloch oder im Ohr. Dadurch erzeugst du mehr Tiefenwirkung.

DIE FORM

Die Form des Schweineschwänzchens ähnelt dem Buchstaben Q. Achte dabei darauf, dass die Rundung nicht zu perfekt ist.

5

BEHAARUNG

Jetzt kannst du vereinzelte Härchen einsetzen. Diese sind nicht durchgehend, sondern vereinzelt in kurz und lang zu zeichnen.

6

TIEFENWIRKUNG

Mit Zugabe von Licht und Schatten bekommt deine Skizze mehr Plastizität. Die einzelnen Härchen sollten gut sichtbar sein.

7

FUSSFORM

Der Schweinefuß ist relativ einfach zu skizzieren. Achte darauf, dass du ihn nicht zu dünn zeichnest.

8

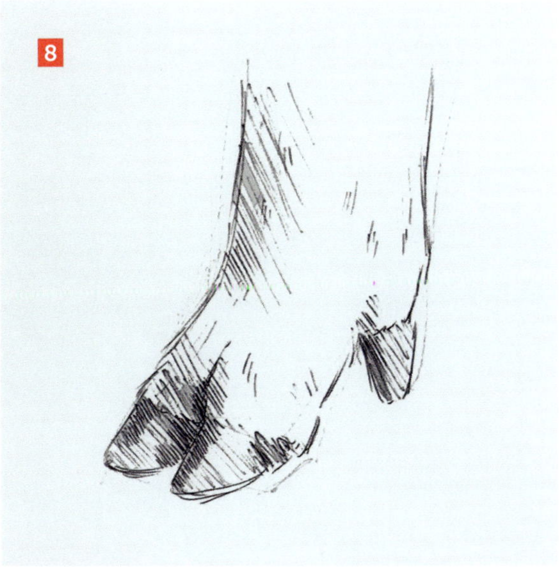

SCHRAFFUR

Mithilfe einer Schraffur deutest du nicht nur Licht und Schatten, sondern auch den Unterschied zwischen Haut und Hufe an.

SCHWEINS-GALOPP

Motive, in denen sehr helle Farben dominieren, kommen oft mit wenig Schraffur und leichten Konturlinien aus. Besonders effektiv ist dies, wenn eine helle Farbe für die Linien gewählt wird. Bei dieser schnellen Skizze eines Schweins wurde ein lachsfarbener Tintenstift verwendet, mit dem eine leichte Bleistiftskizze nachgezogen wurde.

MATERIAL

» Marker (lachsfarbig)
» weißes Papier

WOWEFFEKT!

Um den hellen Charakter der Zeichnung zu betonen, wurde die Schraffur sehr weitmaschig gemalt.

GRUNDFORM

Beginne die Vorzeichnung mit der Körpergrundform, die einem langgezogenen Oval entspricht. Benutze dazu einen 2H-Bleistift.

VORSKIZZE

Vervollständige deine Vorskizze, ohne dich in Details zu verlieren.

OUTLINES

Mit einem lachsfarbenen Marker fährst du die Outlines deiner Skizze nach und definierst die genauere Form dabei.

SCHATTEN & DETAILS

Sind die Outlines vollständig nachgefahren, zeichnest du das Auge und malst erste Schatten mit einer einfachen Schraffur.

PLASTIZITÄT

Füge nun mit einer weniger dichten Schraffur weitere Schattenpartien hinzu und erzeuge somit noch mehr Licht-und-Schatten-Effekte sowie Plastizität.

MARKER

MARKER & FINELINER

BLEISTIFT

MARKER & FINELINER

TUSCHESTIFT

MARKER

KUGELSCHREIBER

BLEISTIFT

BLEISTIFT

VÖGEL

Kaum ein Tier verkörpert Freiheit so sehr, wie ein Vogel. Ob Schwalbe, Adler oder Papagei – Vögel kommen in vielen Farben und Formen vor. Der generelle Körperaufbau bleibt dabei aber immer gleich. Wer Gefieder, Flügel, Schnabel und sie Instruktion der Beine einmal gemeistert hat, dem steht die ganze bunte Welt der Vogelzeichnungen offen.

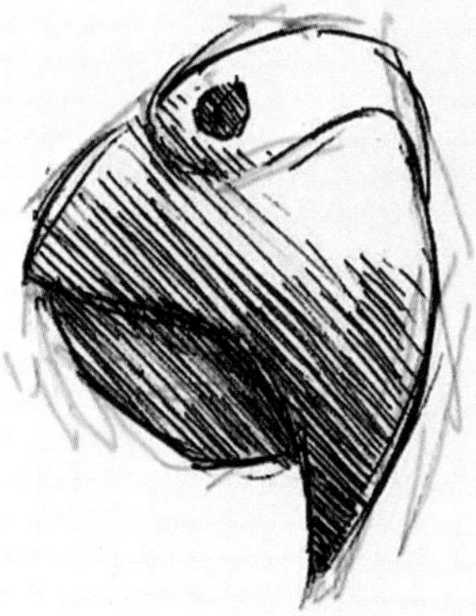

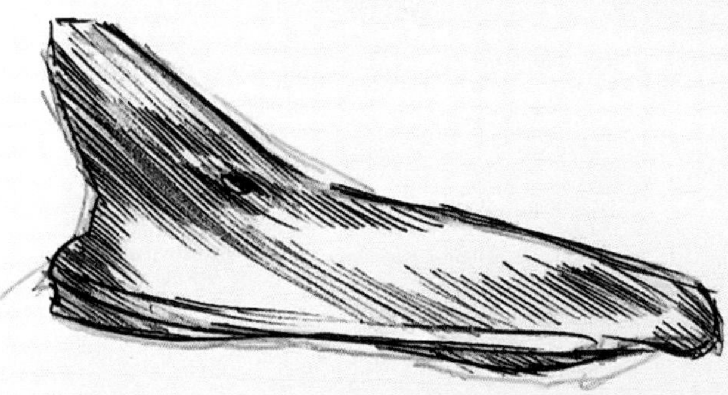

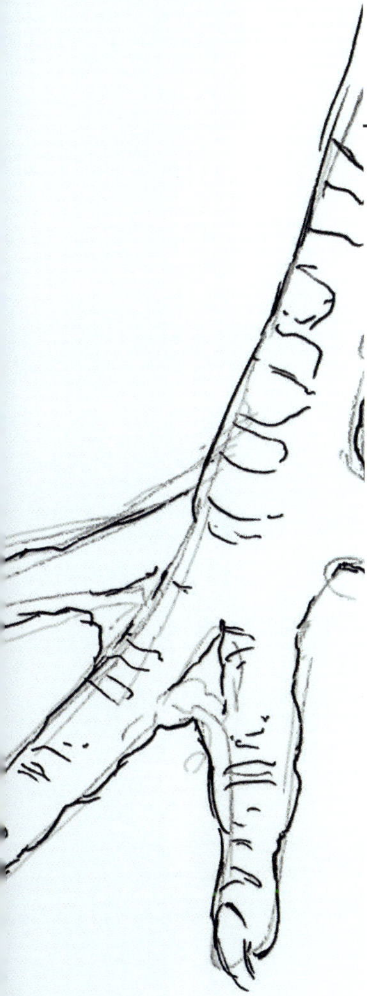

VÖGEL ZEICHNEN

Alle Vögel sind gleich und verschieden. Um einen realistischen Vogel zeichnen zu können, ist die Fähigkeit entscheidend, die Details einfangen zu können. Mit einem geschulten Auge erkennt man schnell, wie sehr sich Füße, Schnäbel und Federkleid unterscheiden und wie diese Unterschiede betont werden. Ein guter Zeichner lässt sich auf diese Kleinarbeit ein. So wird jede Zeichnung zum Erfolg.

MATERIAL

» schwarzer Kugelschreiber
» weißes Papier

WOWEFFEKT!

Wer Gefieder, Flügel, Schnabel und den Aufbau der Beine einmal gemeistert hat, dem steht die ganze Bunte Welt der Vogelzeichnungen offen.

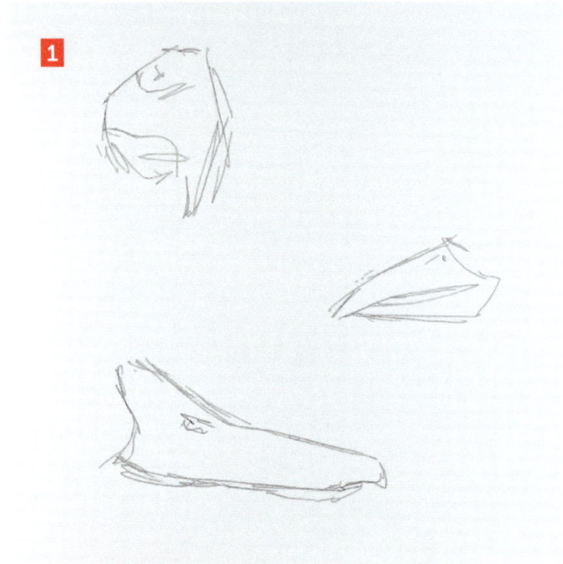

FORM & PROPORTION

Die Form der Schnäbel ist in der Vogelwelt sehr unterschiedlich. Mal sind sie langgezogen mal nach unten gebogen. Achte bei deiner Vorzeichnung auf die Proportionen des Schnabels.

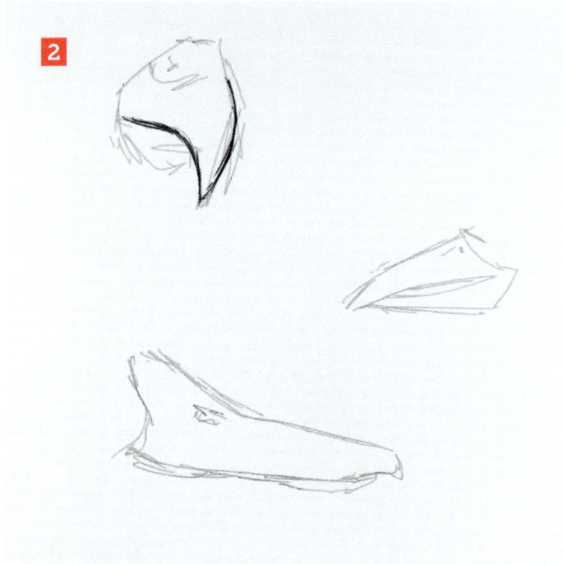

KONTUREN

Die Konturen des Schnabels beginnst du mit der vordersten Spitze. Damit die Spitze deutlich zu erkennen und im Fokus ist.

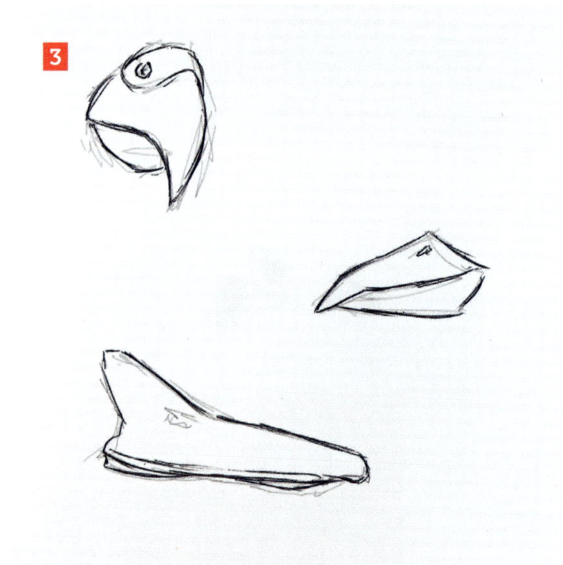

OUTLINES ABSCHLIESSEN

Vervollständige die Outlines. Achte dabei darauf, wie die Linie mit dem Schnabel verläuft. Ist sie grade, zackig oder abgerundet?

SCHRAFFUR

Mit der 45°-Schraffur bringst du Licht und Schatten ins Bild. Welche Bereiche müssen dunkler, welche heller schraffiert werden?

5

LICHT & SCHATTEN
Es ist wichtig, dass du den oberen Bereich des Schnabels nicht schraffierst, denn damit imitierst du seinen Glanz. Die dunklen Bereiche können durchaus intensiver schraffiert werden.

6

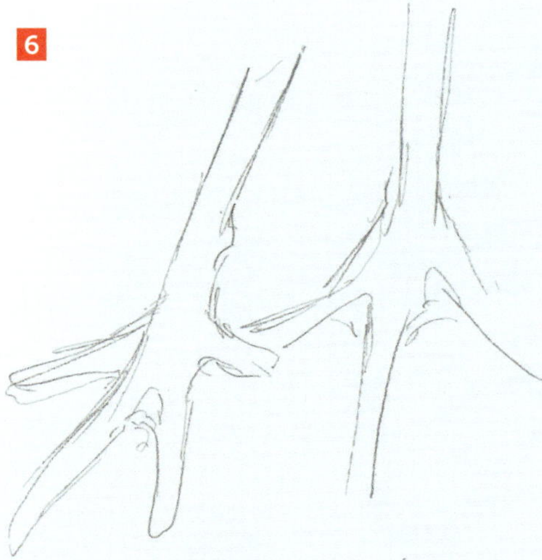

FUSSFORM
Die Füße der meisten Vögel sind gleich kräftig. Der Übergang vom Zeh zum Fuß ist nur minimal zu erkennen. Achte vor allem darauf, welche Länge die Zehen haben.

7

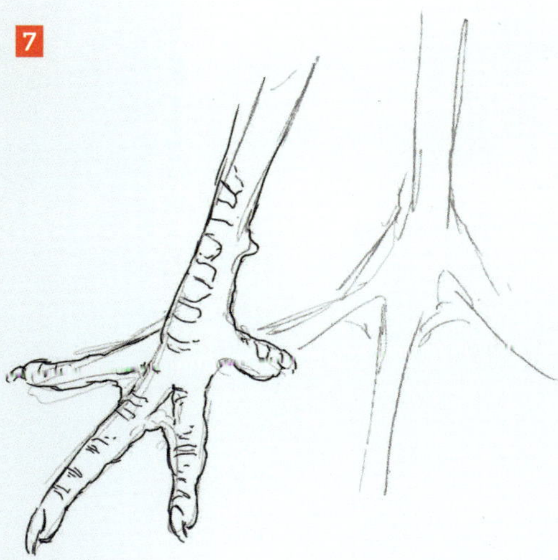

PLASTIZITÄT
Mit kleinen Details wirkt der Fuß plastisch. Oft sind es kleine Linien, sowie kleine rechteckige Schuppenformen.

8

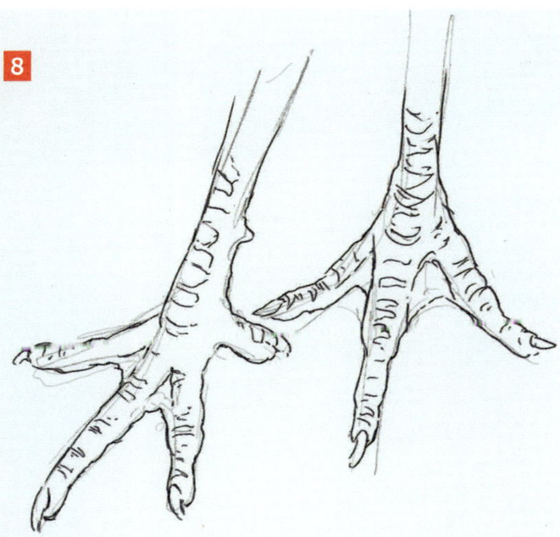

DETAILS
Füge am Ende der Zehen die Krallen hinzu. Gegebenenfalls kannst du noch mit den Linienstärken variieren.

RENTNER-FREUND

Tauben bieten die ideale Gelegenheit, um Vogelzeichnungen zu üben. Ihr Lebensraum überschneidet sich mit unserem – sie lassen uns nah heran. Tauben eignen sich auch gut für spontane Zeichnungen auf Plätzen, in Parks oder im Café. Viele haben den Kugelschreiber ohnehin schon in der Tasche: Warum also nicht eine schnelle Skizze wagen?

MATERIAL

» blauer Kugelschreiber
» weißes Papier

TIPP

Ähnlich verbreitet wie die Taube ist auch der Spatz. Ihn kannst du mit einem braunen Kugelschreiber auf Papier bringen.

GRUNDFORM

Beginne die Vorskizze mit einem 2H-Bleistift und zeichne damit zunächst die dreiecksförmige Grundform der Taube.

VORSKIZZE

Vervollständige die Skizze mit dem Flügel, dem Kopf sowie den Beinen. Verzichte dabei auf Details.

OUTLINES

Fahre mit einem blauen Kugelschreiber nun die Outlines nach, beginnend am Kopf und Rücken.

OUTLINES ABSCHLIESSEN

Vervollständige die Outlines und präzisiere die Flügel sowie die Schwanzfedern und die Füße.

GEFIEDER
Nun detaillierst du das Gefieder mit lockeren Strichen. Achte darauf, die verschiedenartigen Federn in den Formen festzuhalten.

STRUKTUR
Lege erste Schattenbereiche bei den Schwanzfedern an und arbeite sie flächig mit einer einfachen Kreuzschraffur aus.

STRUKTUR & SCHATTEN
Ergänze weitere Schatten in unterschiedlichen Formen. Arbeite dabei stets flächig und mit einer einfachen Parallelschraffur.

POMMESDIEB

Um Vögel mit weißem Gefieder, wie diese Möwe, zu zeichnen, eignet sich grauer Zeichenkarton besonders gut. Wo sonst mit weißen Stiften lediglich Highlights gesetzt werden, wird hier großflächiger gearbeitet und schraffiert.

MATERIAL

» Buntstifte (weiß, grau, schwarz, gelb)
» Kraftpapier

WOWEFFEKT!

Die unruhige Schraffur bei diesem Porträt imitiert die Textur des Gefieders und gibt der Zeichnung so zusätzlich Tiefe.

VORSKIZZE
Zeichne zuerst die groben Umrisse der Möwe. Arbeite mit lockeren Linien. Skizziere alle wichtigen Details, um mit der farbigen Ausarbeitung beginnen zu können.

AUSARBEITUNG
Nun kannst du mit dem weißen Buntstift den Kopf der Möwe ausarbeiten. Die Intensitätsstufen kannst du genau wie bei einem Bleistift zeichnen.

KOLORATION
Setze die Schraffur am Oberkörper fort. Achte darauf, sie zum Unterkörper hin auslaufen zu lassen, d. h. im Schattenbereich.

KONTRASTE
Setze mit einem dunkleren Farbton den Kontrast fest. Durch das Hell-Dunkel-Zusammenspiel entsteht mehr Plastizität.

PLASTIZITÄT

Arbeite so die ganze Zeichnung aus, bis du einen realistischen Eindruck erzielst.

FEINSCHLIFF

Setze an Kopf, Schnabel und Auge die letzten Kontraste ein. Dadurch, dass die Füße nicht ausgearbeitet werden, bleibt der Fokus auf dem Kopf und den Flügeln.

FINELINER

KUGELSCHREIBER

KUGELSCHREIBER

FINELINER

TUSCHESTIFT & AQUARELL

AQUARELL

BLEISTIFT

FINELINER

FINELINER & MARKER

KUGELSCHREIBER

FINELINER

BLEISTIFT

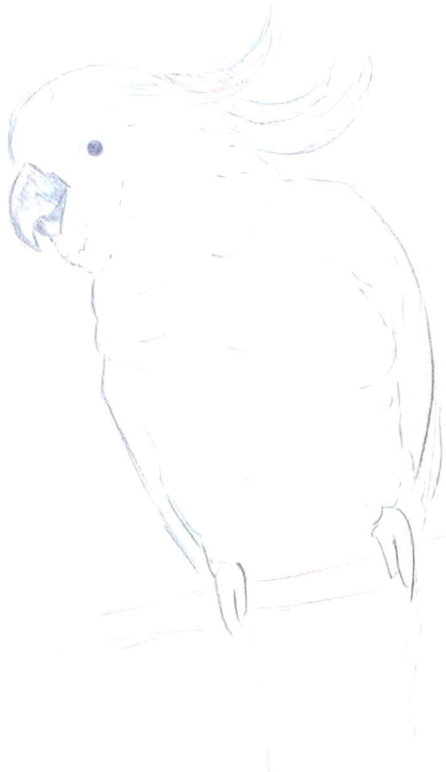

AQUARELL

FINELINER

XXX

KUGELSCHREIBER

KUGELSCHREIBER

MARKER & FINELINER

BLEISTIFT

FINELINER

MARKER & FINELINER

MARKER & FINELINER

SCHLANKE BEINE

Der Einsatz weicher Linien steht einer geradlinigen Silhouette nicht entgegen. Bei dieser Zeichnung eines Vogelstrauß etwa, wurden der stabile Stand und die Haltung des Halses betont. Es entsteht eine lockere Zeichnung, in der verschiedene Zeichentechniken zusammenkommen und dennoch einheitlich wirken können.

MATERIAL

» schwarzer Fineliner
» Marker (grau, schwarz, weiß)
» Kraftpapier

TIPP

Versuche, diese Zeichnung auf beigem Karton zu malen, um den Effekt der Untergrundfarbe kennenzulernen.

VORSKIZZE
Fertige mit dem 2H-Bleistift die Vorskizze an. Achte dabei darauf, die Beine mittig am Rumpf zu platzieren.

KONTUREN
Mit dem schwarzen Fineliner und lockeren Strichen fährst du nun die Konturen nach. Beginne am Kopf.

OUTLINES ABSCHLIESSEN
Vervollständige die Outlines und deute auch das Gefieder mit dem Fineliner an. Bleib minimalistisch, sparsam mit Details.

KOLORATION
Bei diesem Motiv kolorierst du von dunkel nach hell. Beginne also mit dem schwarzen Marker.

SCHATTEN

Koloriere sämtliche Schattenbereiche mit Schwarz sowie die Augen und den Bereich unter dem Schnabel. Spare die Füße aus.

HIGHLIGHTS

Ehe du mit dem hellgrauen Marker die Koloration fortsetzt, zeichnest du mit dem weißen Gel-Stift die Highlights an Kopf, Hals, im Gefieder sowie an den Beinen.

GRUNDIERUNG

Lege nun mit dem hellen Grau die Grundfarbe an. Achte bei den Beinen darauf, sie nur in den Schattenbereichen einzusetzen.

FINISHING

Arbeite flächig und schließe die Koloration des Gefieders ab.

ONKEL DAGOBERT

In dieser Zeichnung arbeiten wir viel mit Farbe. Nach einer Vorskizze mit dünnem Filzstift folgt die Einfärbung mit breiten Markern. Durch das nachträgliche Schattieren mit breitem, schwarzem Filzstift kommen satte Verläufe zustande, die der Illustration besonderes Gewicht verleihen.

MATERIAL

» schwarzer Fineliner
» Marker (grau, grün, rosa, gelb, schwarz)
» weißes Papier

WOWEFFEKT!

Dieses Motiv lebt vom Kontrast zwischen dem hellen und teilweise offen gelassenen Bauchgefieder und den dunkleren Partien wie am Kopf. Arbeite diese Kontraste bewusst in deine Zeichnung ein.

SKIZZE, OUTLINES & KOLORATION

Die Skizze erstellst du mit einem dünnen Filzstift und fährst die Outlines mit dem Fineliner nach. Beginne die Koloration mit Grau und Braun. Vergiss den Innenraum des Schnabels dabei nicht.

MUSTERUNG

Mit Grün malst du den Kopf und das Schwänzchen aus und schaffst so das typische Entengefieder.

FÜSSE

Grundiere die Füße mit einem hellen Orangeton.

SCHNABEL & DETAILS

Den Schnabel kolorierst du mit Gelb. Arbeite mit Schwarz das Auge aus und setze Schatten an Kopfbereich und den Flügeln.

SCHATTEN

Abschließend setzt du mit einem hellen Beige Schatten am Schnabel sowie an den Füßen. Mit dem schwarzen Fineliner ziehst du Schatten am Unterbauch nach.

INSEKTEN

Wenn man das Zeichnen von Insekten von Außen betrachtet, dann wird klar, dass hier mehr Konstruiert als geformt wird. Insekten verhalten sich wie kleine Maschinen mit harten und beweglichen Elementen, Gelenken und Werkzeugen. Im Gegensatz zu anderen Tieren wird bei Insekten nicht verkleinert sondern vergrößert. Dies macht die Wahl der richtigen Perspektive zum entscheidenden Faktor.

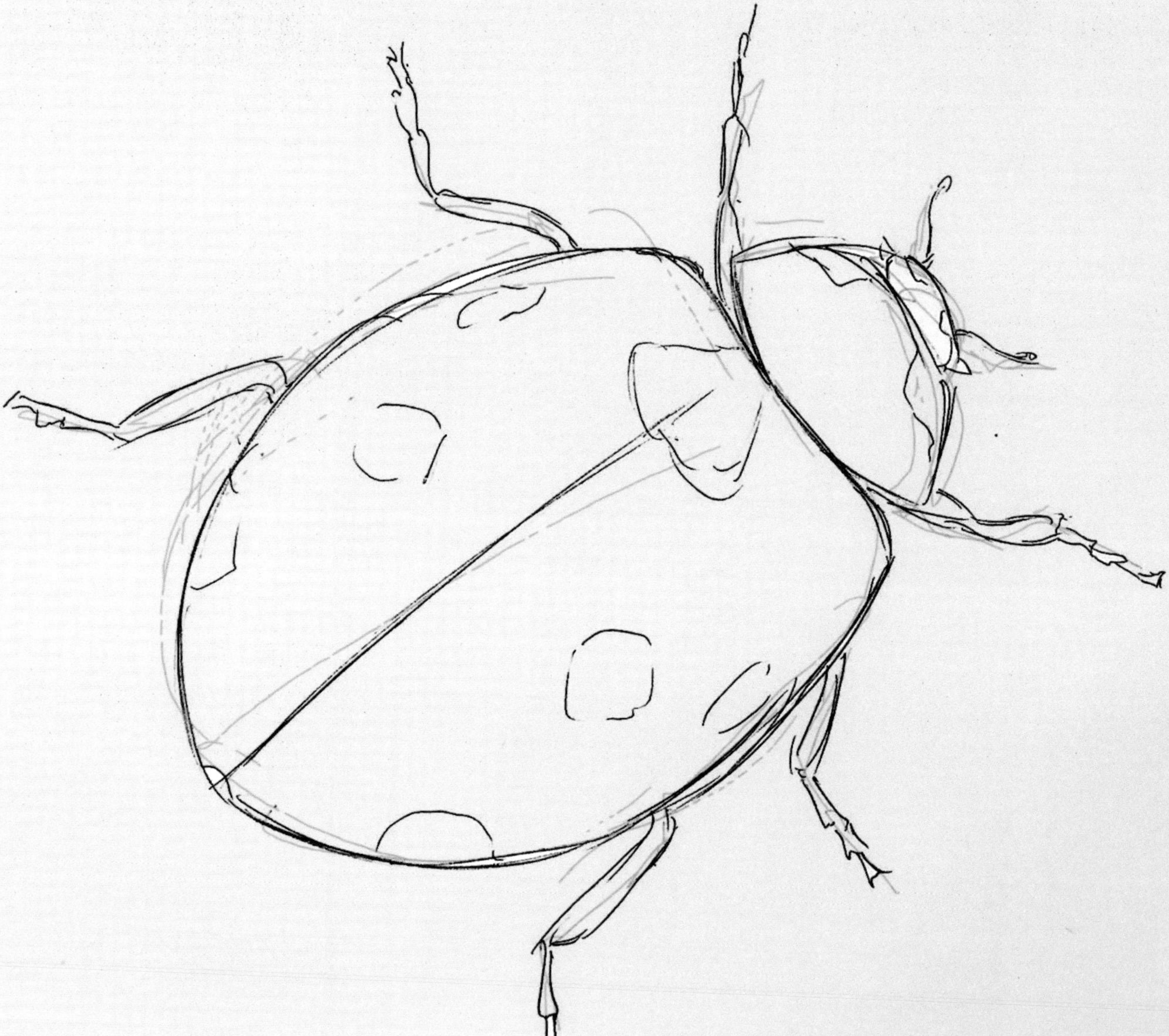

INSEKTEN ZEICHNEN

Mit etwas Übung lassen sich Käfer und andere Insekten schnell konstruieren. Der Grundaufbau des segmentierten Körpers und der Gliedmaßen jedes Insekts ist dabei immer gleich. Wer mit dem Skizzenbuch in die Natur geht, bekommt schnell Gelegenheit diese Übungen auszubauen und ein Auge für die spannende Welt der Insekten zu entwickeln.

MATERIAL

» Bleistift
» weißes Papier

TIPP

Nicht nur in der freien Natur, sondern auch im Naturkundemuseum lassen sich die Farben und Formen von Insekten herforragend studieren.

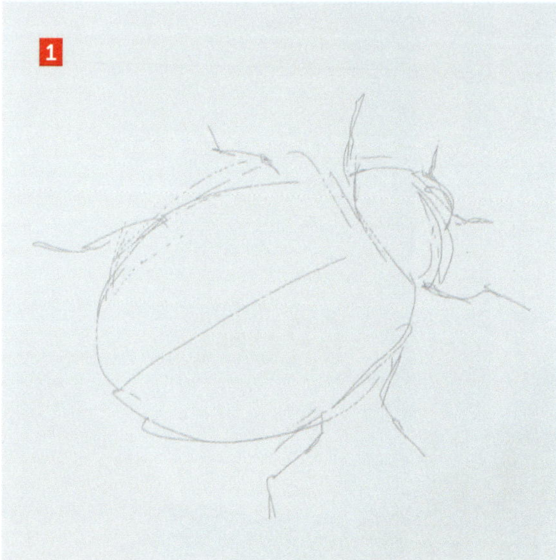

VORSKIZZE

Die Vorskizze sollte die Ausgangsposition deiner Zeichnung sein. Achte auf die Körperform des Insektes und beginne mit ihr die Skizze.

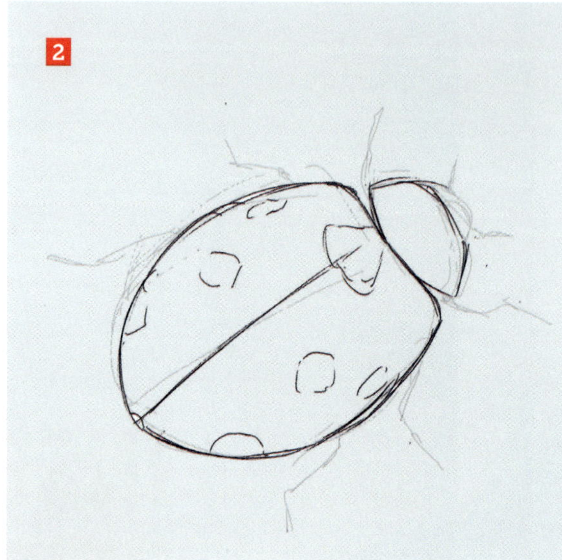

DETAILS

Je nach Insekt gibt es unterschiedlich Details, die das Tier ausmachen. Finde diese und arbeite sie aus. Achte dabei auf die Form und die Proportionen.

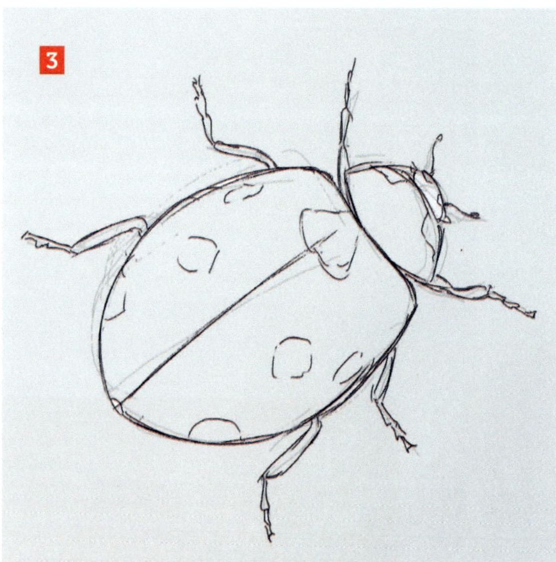

OUTLINES ABSCHLIESSEN

Arbeite mit unterbrochenen Linien, um Licht und Schatten besser darstellen zu können. Schatten sorgen für mehr Plastizität.

LEICHTIGKEIT

Für die Darstellung der filigranen Flügelstruktur von Insekten eignen sich dünne Konturen und dynamische Linien bestens.

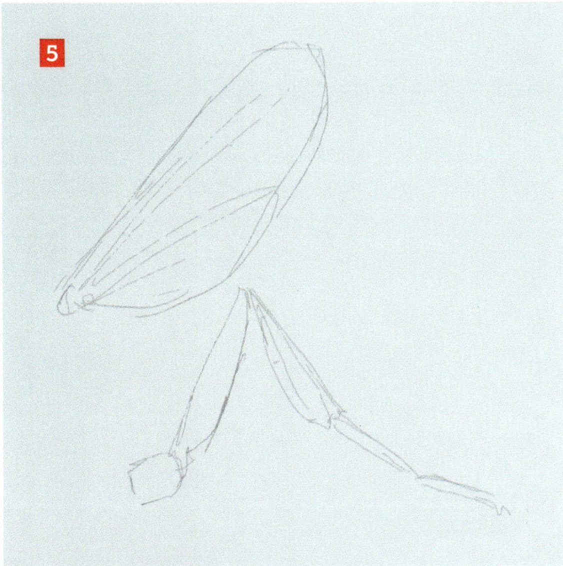

BEINE & GELENKE

Die Länge und Proportion der Beine eines Insektes ist sehr wichtig. Schaue wie viele Gelenke das Bein hat und wie lang diese im Verhältnis zu einander sind.

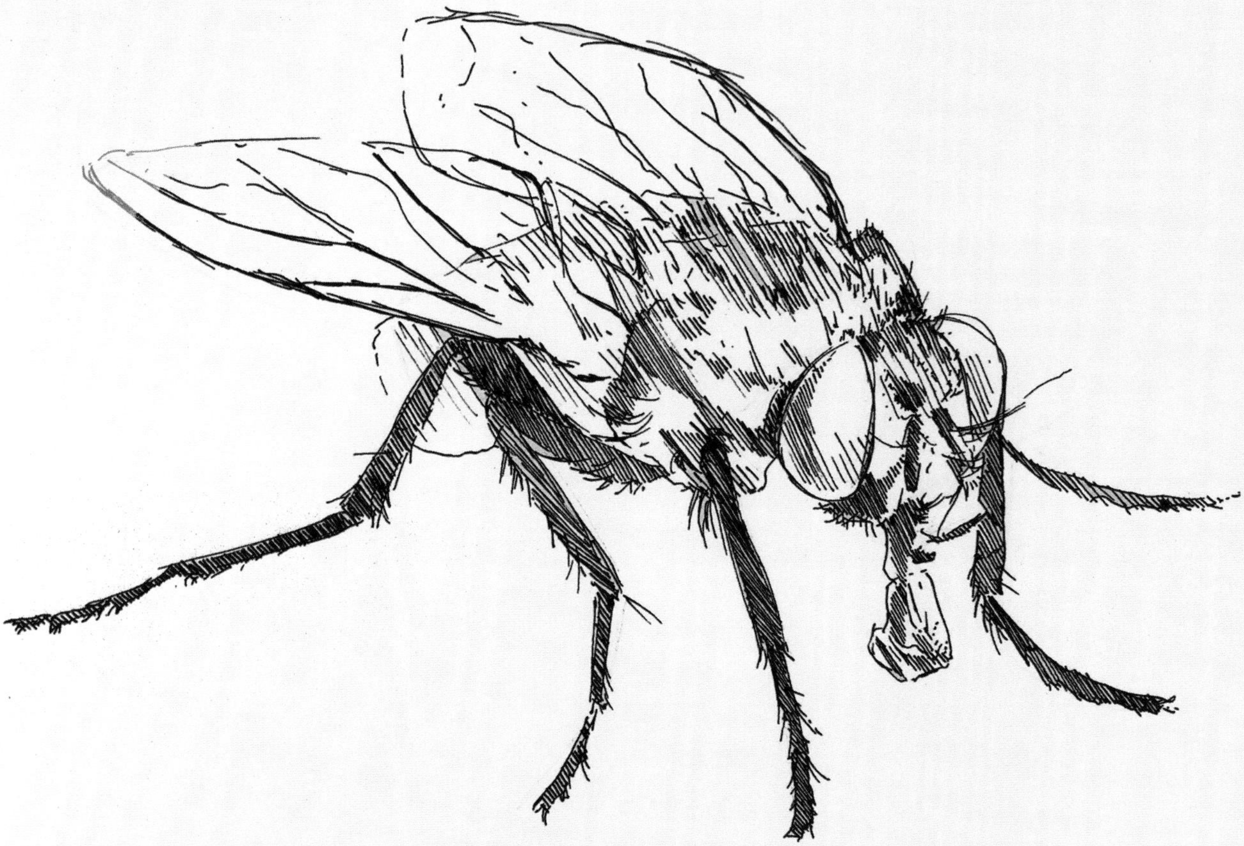

DER QUÄLGEIST

Harte zackige Linien unterstützen den Charakter der Fliege perfekt. Sie wirkt kratzig und rau. Gleichzeitig bieten die grob gezogenen Linien Freiräume, die den Eindruck von Flüchtigkeit und Leichtigkeit vermitteln. Um den Gesamteindruck abzurunden, streue Details ein. So ergibt sich ein ganzheitliches Bild.

MATERIAL

» schwarzer Kugelschreiber
» weißes Papier

TIPP

Du kannst dieses Motiv auch mit dem Material vom Motiv auf Seite 171 umsetzen.

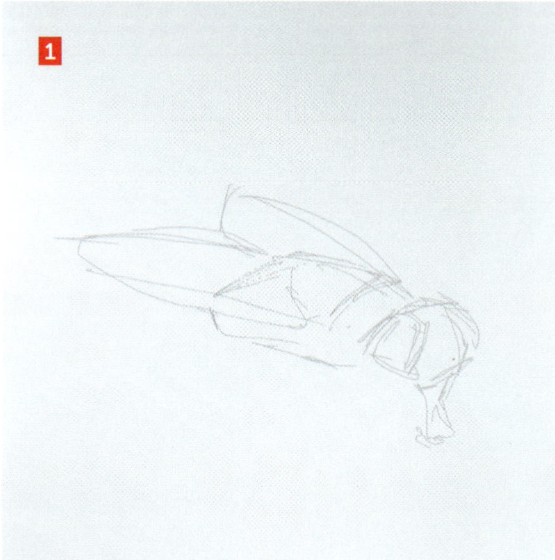

VORSKIZZE

Die Vorskizze solltest du stets mit leichten dynamischen Linien zeichnen. In diesem Beispiel beginne am besten mit dem Oberkörper der Fliege und deute leicht die Form der Flügel an.

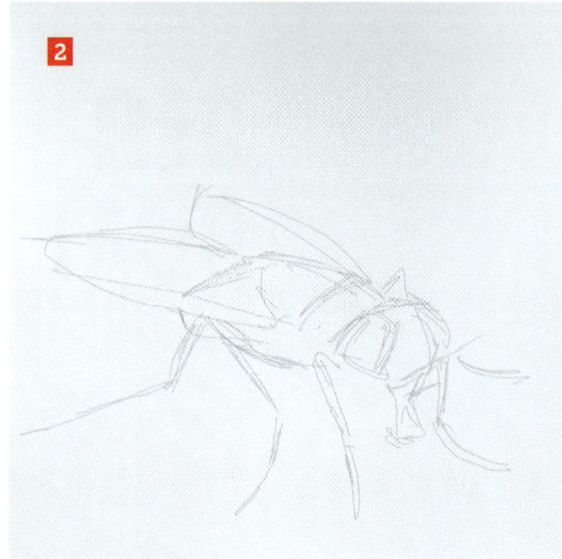

PROPORTIONEN

Zeichne jetzt die weiteren Details wie Füße ein. Hier ist es wichtig, dass die Proportionen stimmen. Ein Schneider hat deutlich längere Beine als eine Fliege. Beobachte diese Unterschiede.

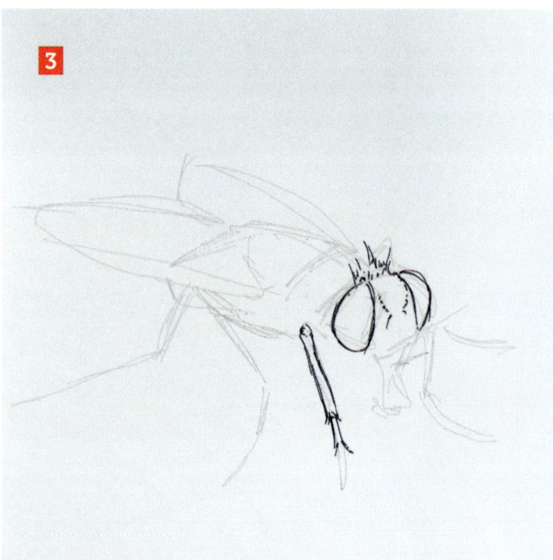

KONTUREN

Beginne jetzt mit den ersten Konturen. Achte auf eine dynamische Linienführung.

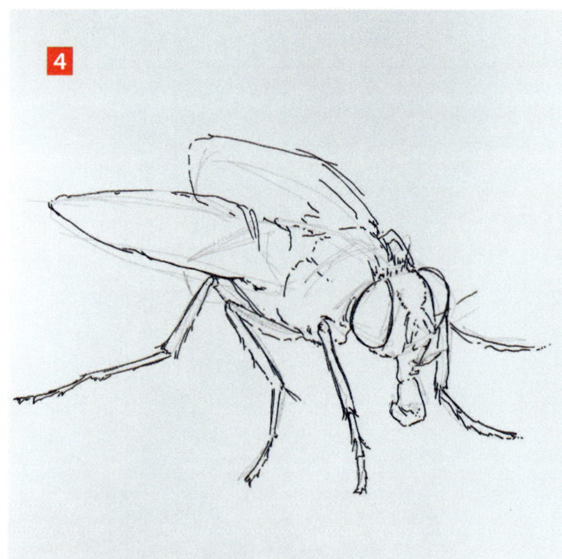

OUTLINES ABSCHLIESSEN

Achte darauf, dass der Flügel etwas leichter konturiert wird. Die Details in den Beinen sind auch nicht unwichtig.

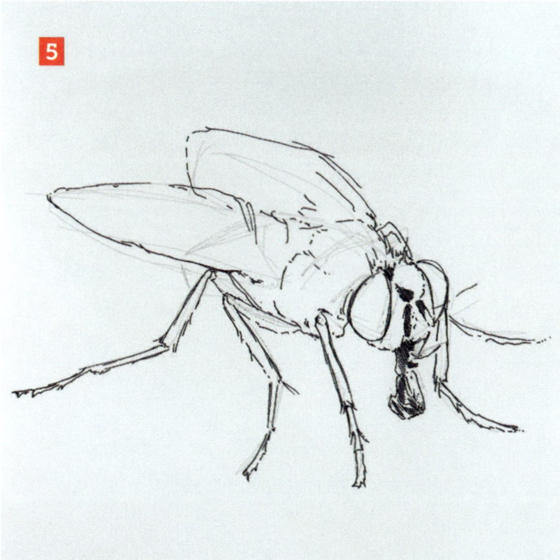
5

KONTRASTE

Jetzt kannst du einige Bereiche deutlich kräftiger ausarbeiten. Fokussiere mit einer kräftigen Linie die einzelneren Körperpartien.

6

AUSARBEITUNG

Jetzt kannst du schraffieren. Achte darauf, dass die Schraffur die Form der Beine nicht durcheinander bringt. Die kleinen feinen Details in den Füßen sind wichtige Merkmale einer Fliege.

7

FEINE SCHRAFFUR

Schraffiere leicht den Oberkörper der Fliege. Der Rücken sollte nicht zu dunkel werden: hier sind die Flügel im Vordergrund.

8

FEINSCHLIFF

Zum Schluss kannst du die Augen mit einer leichten und kräftigen Schraffur belegen. Weißgrau bringt den Glanz in das Auge.

AQUARELL

MARKER

BLEISTIFT

AQUARELL & FINELINER

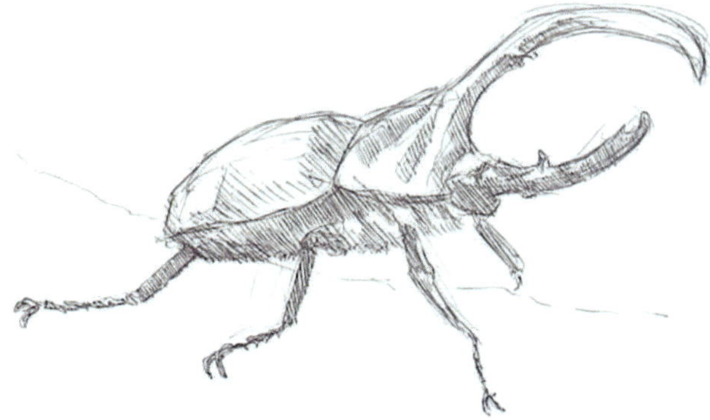

KUGELSCHREIBER

TUSCHESTIFT

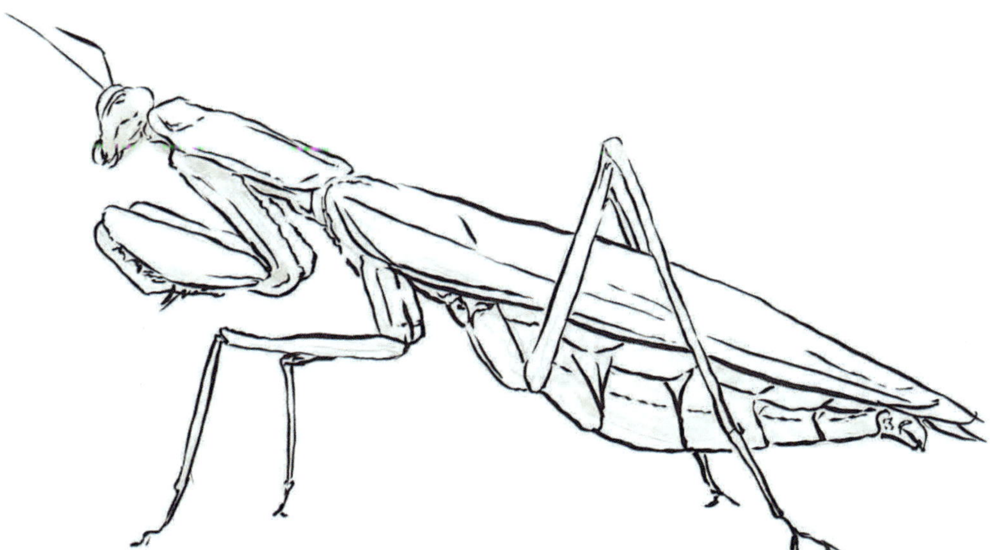

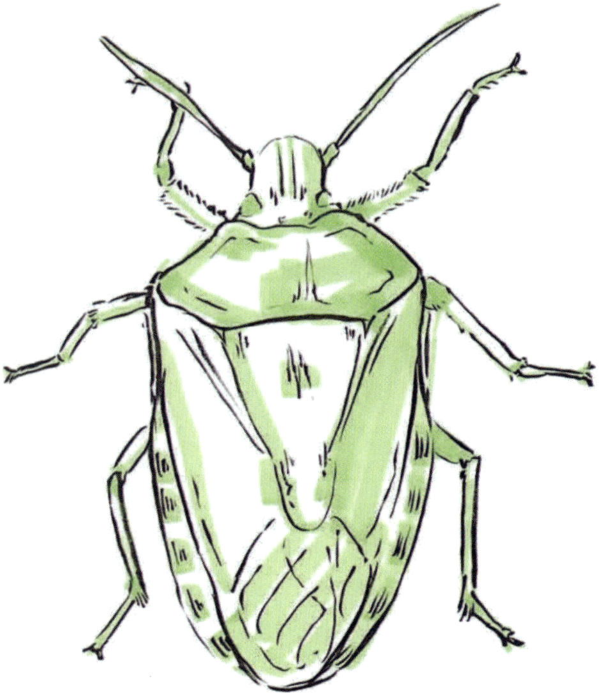

MARKER & FINELINER

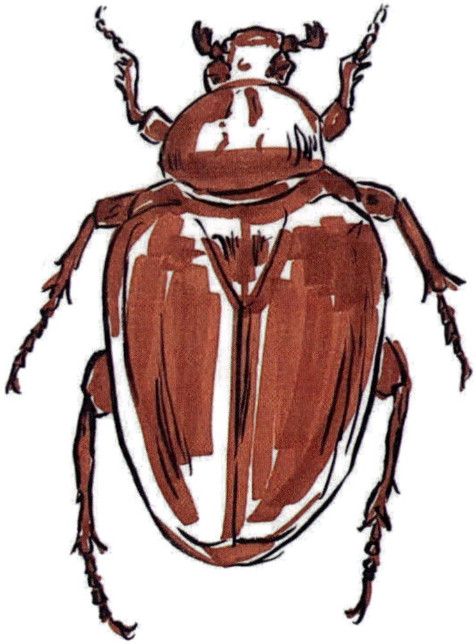

MARKER & FINELINER

FINELINER & AQUARELL

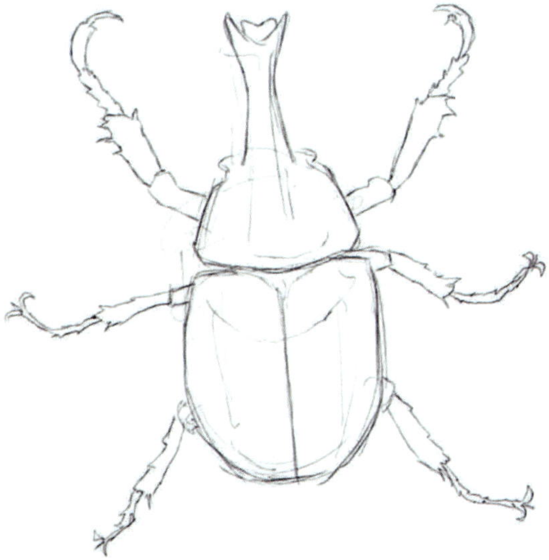

BLEISTIFT

BLEISTIFT

DICKER BRUMMER

Beim Zeichnen weicher Insekten hilft es, die weichen Formen mit den Details des Kopfes und der Beine zu Verbinden. Weiche und harte Formen wechseln sich hier ab und schaffen den Eindruck von Körperlichkeit.

MATERIAL

» schwarzer Fineliner
» Marker (braun, schwarz, gelb)
» weißes Papier

TIPP

Durch eine Nachfärbung des Körpers setzt sich dieser stärker vom Untergrund ab und ist so besser auszumachen.

VORSKIZZE

Erstelle die filigrane Vorskizze mit dem 2H-Bleistift.

HÄRCHEN & OUTLINES

Die Outlines werden bei diesem Motiv in Form von Härchen mit dem Fineliner gezeichnet. Arbeite mit kurzen zügigen Strichen, beginnend am Kopf.

FORTSETZUNG

Arbeite dich Stück für Stück weiter vor und bleibe dabei mit Strichen sparsam, damit das Motiv filigran bleibt.

DETAILS

Filigranität erhält das Motiv auch durch die Struktur der Flügel. Achte darauf, mit feinen, unterbrochenen Linien zu arbeiten.

KOLORATION

Du kolorierst von hell nach dunkel und beginnst also mit dem gelben Marker.

DETAILS

Nun malst du die Beine und Fühler sowie die Oberkante der Flügel mit dem braunen Marker. Arbeite mit unregelmäßigen Strichen, um die Härchen anzudeuten.

KONTRAST & SCHATTEN

Setze mit Schwarz Schatten am Auge und Kontraste im Pelz. Arbeite auch hier mit feinen Strichen.

FINISHING

Schließe die Koloration ab und lass die Außenkanten der Flügel weiß stehen, sodass die feinen Bleistiftlinien sichtbar bleiben.

SCHILLER-PFEIL

Insekten gibt es nicht nur in schwarz oder braun. Manche zeigen die schillerndsten Farben, die wir im Tierreich finden können. Diese gilt es, in einer Zeichnung gekonnt in Szene zu setzen. In dieser Zeichnung der Libelle wird auf braunem Zeichenpapier gearbeitet. So können Highlights in den Flügeln besonders gut herausgearbeitet werden.

MATERIAL

» schwarzer Fineliner
» Marker (braun, schwarz, blau, grau, weiß)
» Kraftpapier

WOW EFFEKT!

Das Zeichnen auf dem Kraftpapier gibt die Möglichkeit, transparente Strukturen wie Flügel besonders in Szene zu setzen. Alles, was es dafür braucht, ist ein weißer Marker.

VORSKIZZE
Fertige die Vorskizze mit dem 2H-Bleistift an. Achte dabei darauf, dass die vorderen Flügel so lang sind wie der hintere Teil des Körpers.

KONTUREN
Beginnend am Kopf, zeichnest du die Konturen mit dem Fineliner nach. Arbeite mit einer besonders dünnen Spitze und feinen Strichen, die du immer wieder unterbrichst.

STRUKTUR
Die Struktur der Flügel arbeitest du heraus, indem du Konturen doppelt nachzeichnest.

OUTLINES ABSCHLIESSEN
Vervollständige die Outlines bis zum spitzen Ende des Körpers.

KOLORATION & MUSTERUNG
Beginne die Koloration mit dem braunen Marker und lege die Musterung auf dem Körper an.

MUSTERUNG & GRUNDIERUNG
Mit dem blauen Marker grundierst du den Körper großzügig und schließt so die Musterung ab.

SCHATTEN & DETAILS
Setze mit Grau die Schatten auf den Flügeln, mit Schwarz Details am Körper durch partielles Übermalen der braunen Partien.

HIGHLIGHTS
Abschließend fügst du mit dem weißen Gel-Stift Highlights auf den Flügeln hinzu.

IN DIE LAMPE VERLIEBT

Auch komplexe und kleinteilige Tiere wie Schmetterlinge eignen sich für eine Schnellskizze mit Kugelschreiber und Blesitft. Dabei steht das Einfangen der Proportionen, der Körperhaltung und des Ausdrucks vor dem Ausarbeiten alle Details. Solch eine Skizze kann für sich stehen oder als Vorstudie zu einer aufwendigeren Illustration stehen.

MATERIAL

» blauer Kugelschreiber
» weißes Papier

WOWEFFEKT!

Der Verzicht auf die Ausarbeitung von Deteils verleiht der Skizze einen Hauch von Vergänglichkeit. Gerade bei dem Motiv der Motte kann dieser Effekt die empfindliche Beschaffenheit des Tiers in Szene setzen.

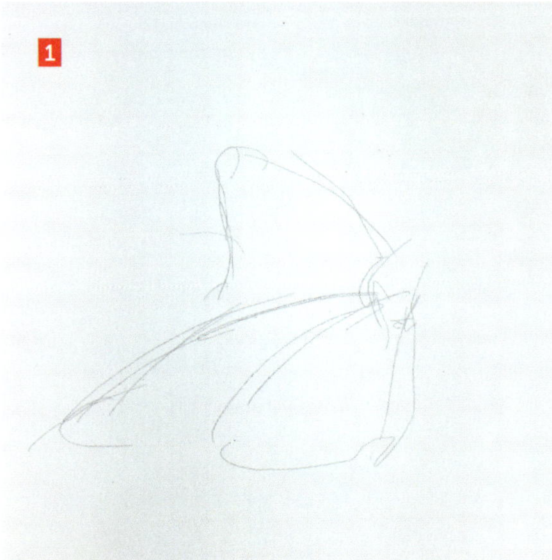

VORSKIZZE

Zeichne zuerst die grobe Form der Flügel ein. Achte auf die Form – sie unterscheidet sich stark von Insekt zu Insekt.

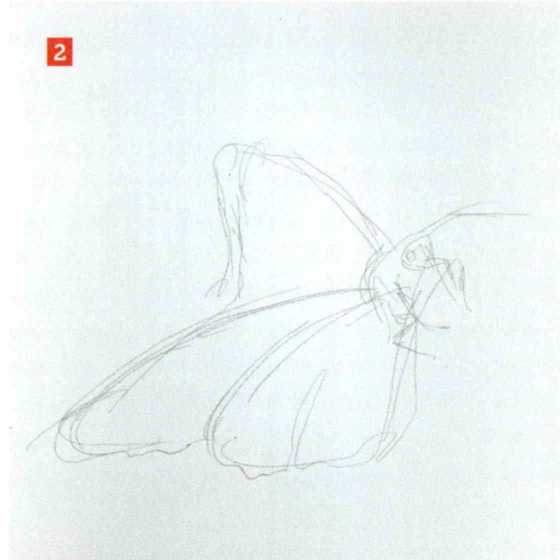

GRUNDFORM

Jetzt kannst du die Details in die Grundform der Flügel einzeichnen. Zeichne auch die Beine und den Kopf ein.

KONTUR

Zeichne den Rumpf mit kurzen Strichen, das Tier hat kleine feine Härchen, und die Flügel mit dünnen unterbrochenen Linien.

FEINSCHLIFF

Zeichne das markante Muster leicht ein. Hier sollte sich die Strichführung von der an den Beinen und Rumpf unterscheiden.

PROBIERE ES GLEICH AUS: HIER IST PLATZ FÜR DEINE ZEICHNUNG!

WEICHER KERN

Insekten verbinden wie keine anderen Tiere verschiedenste Texturen miteinander. Harte, raue, glatte, flauschige und spitze Flächen wechseln sich ab und verbinden sich zu interessanten Formen. In einer Zeichnung lohnt es sich, diese Gegensätze zu betonen. Bei dieser Zeichnung eines Hirschkäfers etwa, werden die schwarzen Platten betont und von den pelzigen Zwischenräumen abgehoben.

MATERIAL

» schwarzer Fineliner
» Marker (grau, schwarz, braun)
» weißes Papier

TIPP

Arbeite bewusst mit den Kontrasten von harter Schale und fellartigem Körper. Unterstreichen kannst du diesen noch durch den Einsatz von verschiedenen Zeichenwerkzeugen.

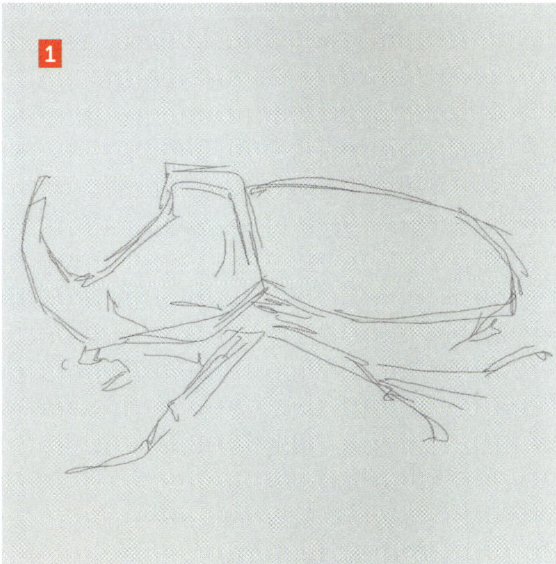

VORSKIZZE
Mit einem 2H-Bleistift fertigst du die Vorskizze an. Beachte, dass der Kopf ohne „Horn" zweimal in den Korpus passt.

KONTUREN
Mit dem schwarzen Fineliner ziehst du anschließend die Konturen nach. Unterbrich die Linien, um das Motiv lebendig zu halten.

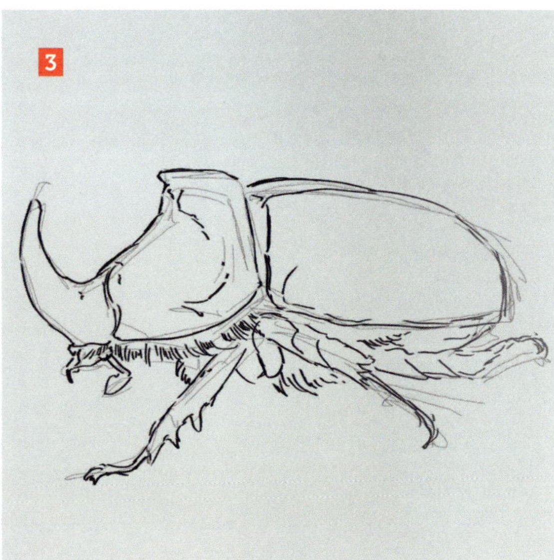

OUTLINES ABSCHLIESSEN
Vervollständige die Outlines und deute dabei auch die Härchen am Unterkörper an.

KOLORATION
Mit dem hellen Grau beginnst du die Koloration am Kopf. Arbeite mit flächigen, groben Strichen.

SCHATTEN

Setze die Grundierung mit dem hellen Grau fort und füge anschließend mit Schwarz Schatten hinzu. Jetzt ist das Motiv bereits plastisch.

HÄRCHEN

Mit Braun kolorierst du die Bereiche zwischen dem Panzer sowie am Bauch. Arbeite mit zwei verschiedenen Brauntönen.

DETAILS

Mit dem schwarzen Fineliner ergänzt du abschließend einzelne Härchen und setzt Schatten in den braunen Bereichen.

FISCHE

Fische gehören in der klassischen Kunst zu den beliebtesten Motiven. Da werden sie meistens im Stilleben auf dem Teller gezeigt. Viel Leben ist da nicht mehr. Mit der Unterwasserfotografie hat sich unsere Seherfahrung in diesem Bereich drastisch gewandelt. Zeichnungen von Fischen zeigen diese heute vor allem schwimmend, also in Bewegung. Um Diese Dynamik darstellen zu können, braucht es einiges an Übung.

FISCHE ZEICHNEN

Fische gehören in der klassischen Kunst zu den beliebtesten Motiven. Dort werden sie meist als Teil eines Stilllebens auf dem Teller liegend gezeigt. Viel Leben ist da nicht mehr ... Mit der Unterwasserfotografie hat sich unsere Seherfahrung in diesem Bereich drastisch gewandelt. Zeichnungen von Fischen zeigen diese heutzutage vor allem schwimmend, also quicklebendig und in Bewegung. Um diese Dynamik darstellen zu können, braucht es einiges an Übung.

MATERIAL

» schwarzer Kugelschreiber
» weißes Papier

WOWEFFEKT!

Der dunkele Punkt im Auge bringt die gewünschte Tiefenwirkung des Fischauges.

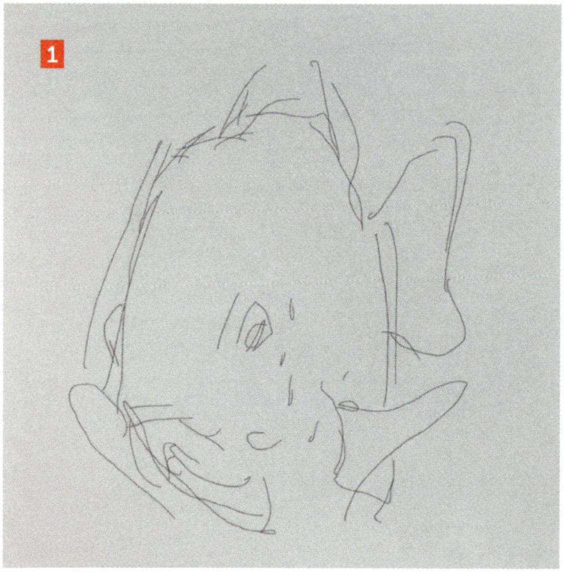

GRUNDFORM

Um einen Fisch von vorn zu zeichnen, beginne am besten mit einem Oval als Vorskizze. Achte darauf, dass ein Auge ganz zusehen ist und das andere nur angedeutet wird.

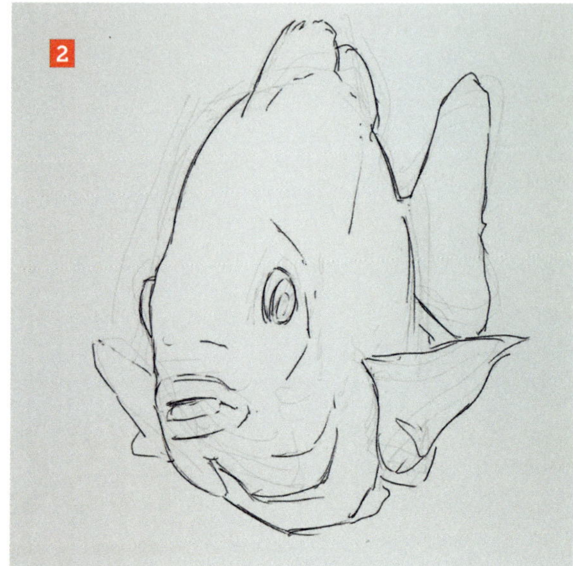

KONTUR

Bei der Ausarbeitung der Kontur solltest du darauf achten, dass Schuppen und Muster eines Fisches sich in dieser Ansicht nach hinten hin zur Flosse verjüngen.

FORMFINDUNG

In fast jedem Fisch ist eine geometrische Grundform erkennbar. Daran anschließend zeichnest du die eigentlichen Form.

MUSTER & DETAILS

Achte auf die Details in der Flosse und das Schuppenmuster, auf die Größe der Augen und die Form des Mundes.

GRUNDFORM

Die Grundform des Fischmundes ähnelt dem Buchstaben „C“. Je nach Fischart ist das „C“ flacher oder hochgezogener.

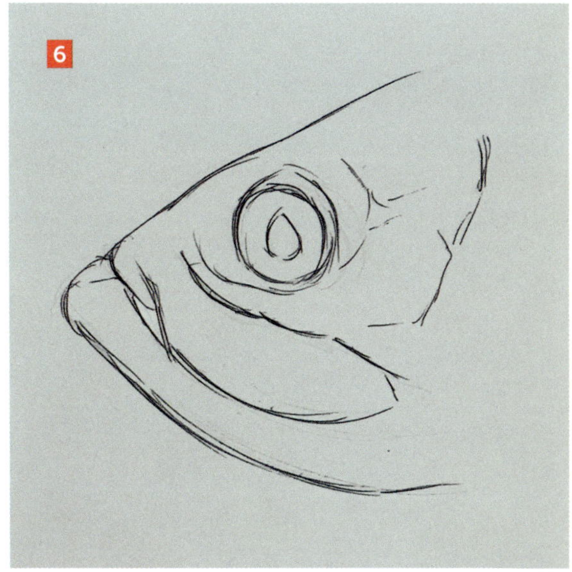

MUND & AUGE

Die Positionierung des Auges ist besonders wichtig. Achte hierbei, wie auch bei der Form des Mundes, auf die Form und die Position im Verhältnis zum Kopf.

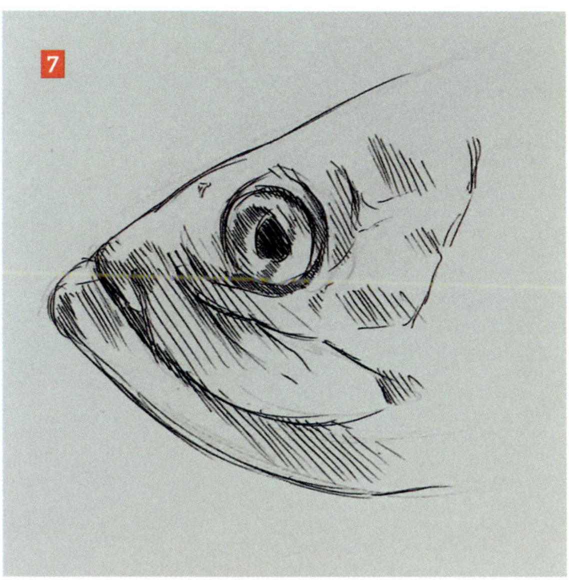

GLANZ DURCH SCHRAFFUR

Zeichne mit einer Schraffur den Glanz in die Oberflächen ein. Der Weißraum steht für die Spiegelung im Schuppenkleid.

ZEITLOSES DESIGN

Haie haben sich über die Jahrmillionen kaum verändert und dafür gibt es gute Gründe. Kaum ein Tier ist so perfekt auf seine Umgebung abgestimmt. Bei einer Zeichnung ist hier weniger oft mehr. Die Stromlinienform lässt sich durch gezielte scharfe Linien am besten darstellen. Der Schlüssel liegt hier in der Präzision.

MATERIAL

» blauer Kugelschreiber
» weißes Papier

TIPP

Mit seinen klaren Linien eignet sich der Hai auch gut dafür, auf schwarzem Karton gezeichnet zu werden. Du kannst dennoch der Anleitung hier folgen, verwendest aber nicht den Kugelschreiber, sondern einen weißen Stift deiner Wahl.

GRUNDFORM

Beginne die Vorskizze mit der Grundform des Haifisches. Verwende dafür einen 2H-Bleistift.

VORSKIZZE

Ergänze die Grundform mit den Flossen, den Zähnen sowie dem Auge und den Kiemen.

OUTLINES

Nun fährst du die Outlines mit einem blauen Kugelschreiber nach.

DETAILS

Ergänze die Zähne sowie die Seitenlinie. Zusätzlich verstärkst du die Outlines an ausgewählten Stellen für mehr Plastizität.

STRUKTUR

Lege oberhalb der Seitenlinie eine einfache Schraffur an, die du mit leichtem Druck auf den Strich anfertigst.

PLASTIZITÄT

Verdichte die angelegte Schraffur, wie im Bild zu sehen, an ausgewählten Stellen. So wird der Hai plastisch.

SCHATTEN

Füge die Schatten im Mundraum, am Unterbauch sowie an den unteren Flossen hinzu.

GOLD IM GLAS

Viele Aquarienfische haben weiche, geschwungene Formen, die sich im Wasser schweißartig ausbreiten. Um diese Formen abzubilden hilft es oft, Linien fließend auslaufen zu lassen und nicht alle Flächen komplett auszumalen. Bei diesem Goldfisch haben wir uns ganz auf die knolligen Augen konzentriert und die Flossen skizzenhaft gehalten.

MATERIAL

» schwarzer Fineliner
» Marker (orange, gelb, braun, weiß)
» Kraftpapier

TIPP

Spiele mit den Farben und lass deinen Fisch ruhig auch kanllig bunt werden.

VORSKIZZE

Die Vorskizze legst du mit dem 2H-Bleistift an. Bring dabei den typischen Schwung in die Flossen.

KONTUREN

Fahre mit feinen Linien und lockerem, unterbrochenem Strich die Konturen nach. Benutze dafür einen Fineliner und beginne am Kopf des Fisches.

OUTLINES ABSCHLIESSEN

Schließe die Outlines ab und ergänze dabei auch den „Faltenwurf" an den Flossen.

KOLORATION

Das Motiv wird von hell nach dunkel koloriert, du beginnst mit dem Auftrag von Gelb als Grundierung. Lass die Flossen weiß.

MUSTERUNG
Mit Orange füllst du die weißen Bereiche am Körper und schaffst Struktur und Musterung durch kurze, dicke Striche.

PLASTIZITÄT & DETAILS
Verdopple die Outlines an den Flossen sowie um den Körper für mehr Plastizität mit dem Fineliner. Koloriere auch die Augen.

SCHATTEN
Mit einem hellen Braunton fügst du nun Schatten unterhalb der Kiemen und hinter den Flossen sowie an den Augen hinzu.

HIGHLIGHTS
Setze mit einem weißen Gel-Stift Highlights auf den Flossen sowie mit einem hellgelben Gel-Stift auf Körper und Augen.

AUF DEM REGENBOGEN

Bei dieser Zeichnung einer Regenbogenforelle haben wir eine Ansicht mit perspektivischer Verzerrung gewählt. Der Kopf wirkt hier deutlich größer als der Körper. Der Fisch dreht seinen Körper in einem leichten Bogen, was diese Perspektive noch verstärkt. In der Ausarbeitung haben wir uns für eine Mischung aus dünnem Liner und kräftigen Farbmarkern entschieden.

MATERIAL

» schwarzer Fineliner
» Marker (grau, grün, blau, gelb, orange)
» weißes Papier

WOW EFFEKT!

Spiele mit der Perspektive, um deine Zeichnung beeindruckender wirken zu lassen.

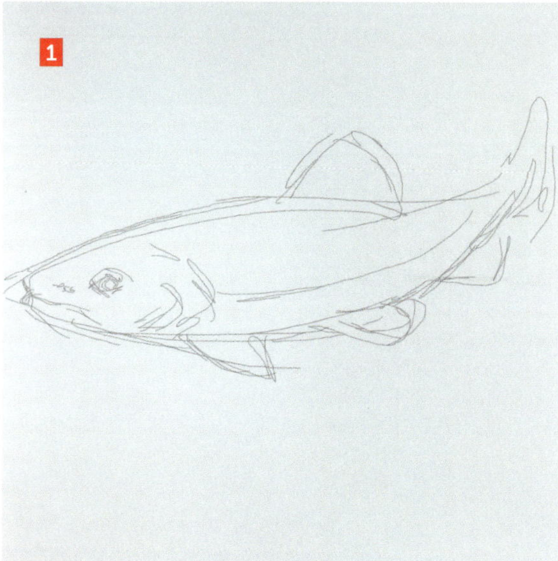

VORSKIZZE

Lege mit dem 2H-Bleistift eine Vorskizze an. Anstelle von ausgearbeiteten Flossen, zeichnest du lediglich Dreiecksformen.

KONTUREN

Definiere nun die Konturen mit einem schwarzen Fineliner, beginne dabei am Kopf.

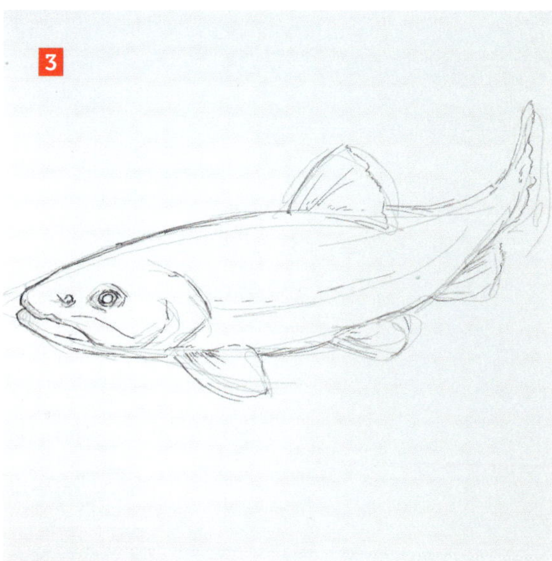

OUTLINES ABSCHLIESSEN

Vervollständige die Outlines und verfeinere dabei auch die Form der Flossen sowie deren „Faltenwurf".

KOLORATION

Das Motiv wird prinzipiell von hell nach dunkel koloriert. Trage zunächst das Gelb dezent auf dem Körper und an den Flossen auf. Arbeite mit kurzen, dicken Strichen.

MUSTERUNG

Das typische Schimmern wird zunächst mit Hellgrün angelegt, das sich um die gelben Flächen schmiegt.

PLASTIZITÄT

Plastizität erhält das Motiv durch den bewussten Einsatz von Hellblau: Koloriere damit die Flossen sowie die Seitenlinie und den Unterbauch.

SCHATTEN

Gehe mit Hellgrau über die hellblauen Bereiche und schaffe ein Licht-und-Schatten-Spiel. Setze hellgraue Akztente in den grünen Bereichen, Schatten hinter die Kiemen.

STRUKTUR & SCHATTEN

Noch mehr Struktur und Plastizität entsteht durch den Auftrag von Dunkelgrau auf die hellgrauen Bereiche.

MUSTERUNG & DETAILS

Orange auf die Seitenlinie tupfen. So erhält der Fisch seine typische Musterung. Arbeite mit Punkten, um Schuppen anzudeuten.

FINISHING

Mit dem dünnen Fineliner setzt du abschließend Schraffuren in die Schattenbereiche sowie auf die Seitenlinie.

AQUARELL

BLEISFTIFT

AQUARELL

AQUARELL

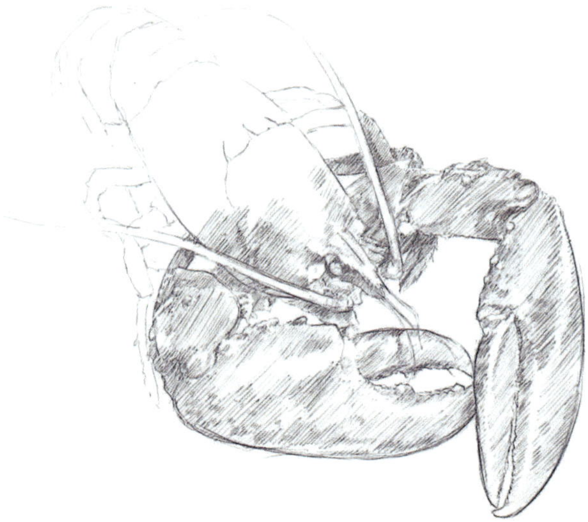

KUGELSCHREIBER

AQUARELL

MARKER

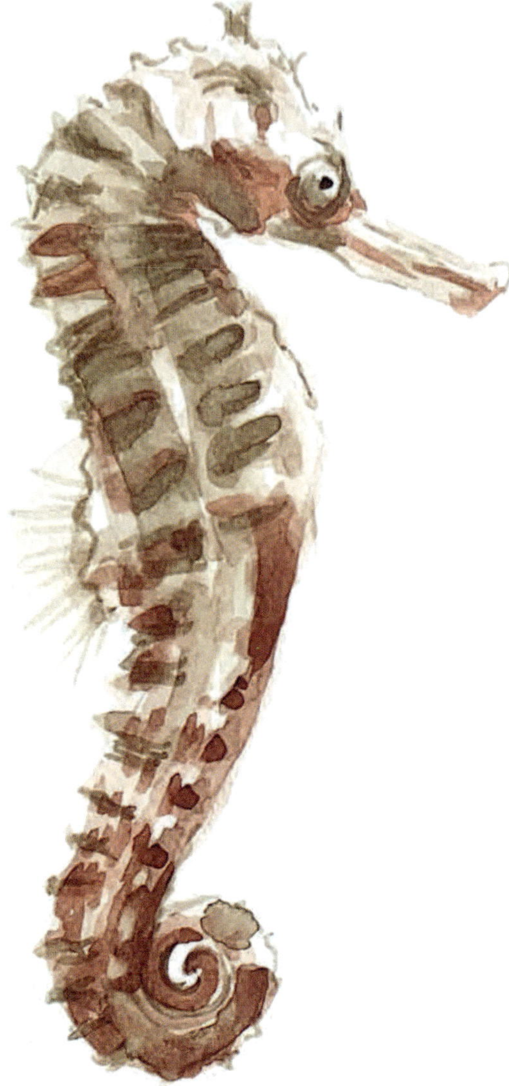

AQUARELL

AQUARELL

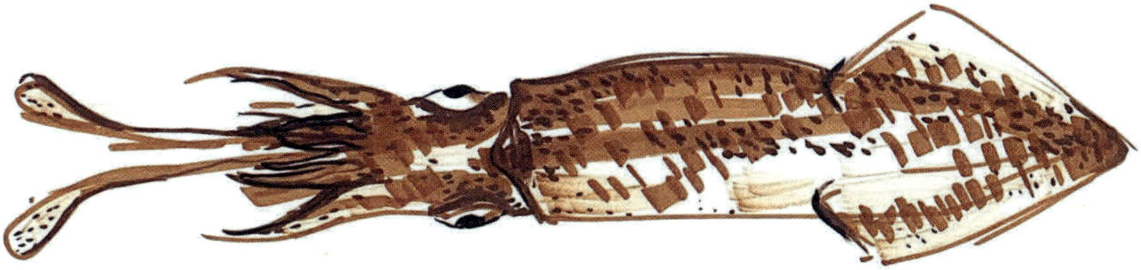

MARKER

MARKER

AQUARELL

AQUARELL

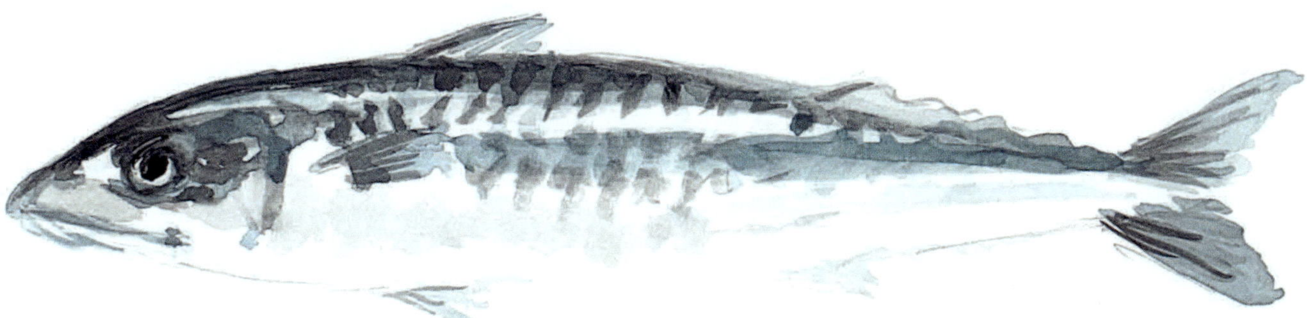

AMPHIBIEN

Amphibien glänzen, im wahrsten Sinn des Wortes, durch ihre faszinierenden Körperoberflächen. Frösche, Kröten und Molche kommen in vielen Farben vor und lohnen sich als Zeichenmotiv. Vor allem der Einsatz von Glanzpunkten gibt Zeichnungen dieser feuchten Tiere das gewisse Etwas. Es macht durchaus Sinn, an solche Motive experimentell heranzugehen.

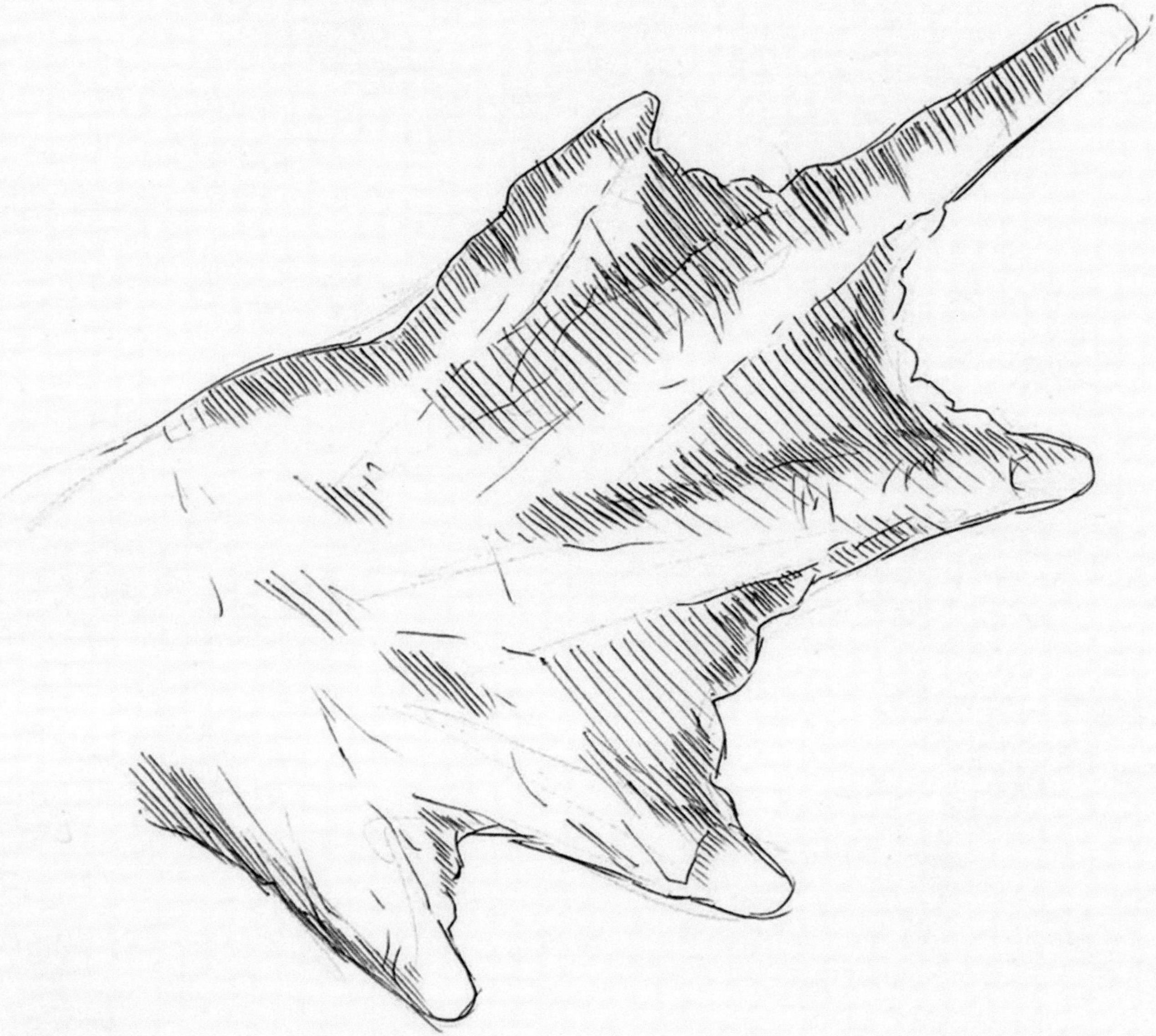

AMPHIBIEN ZEICHNEN

Amphibien glänzen, im wahrsten Sinne des Wortes, durch ihre faszinierenden Körperoberflächen. Frösche, Kröten und Molche kommen in vielen Farben vor und lohnen sich als Zeichenmotiv. Es macht durchaus Sinn an solche Motive etwas experimenteller heranzugehen.

MATERIAL

» Bleistift
» weißes Papier

WOWEFFEKT!

Vor allem der Einsatz von Glanzpunkten gibt Zeichnungen dieser feuchten Tiere das gewisse Etwas.

1 VORSKIZZE

Füße von Schildkröten sind sehr unterschiedlich in ihrer Form. Präge dir die Form gut ein und achte darauf, welche Zehen welche Länge haben.

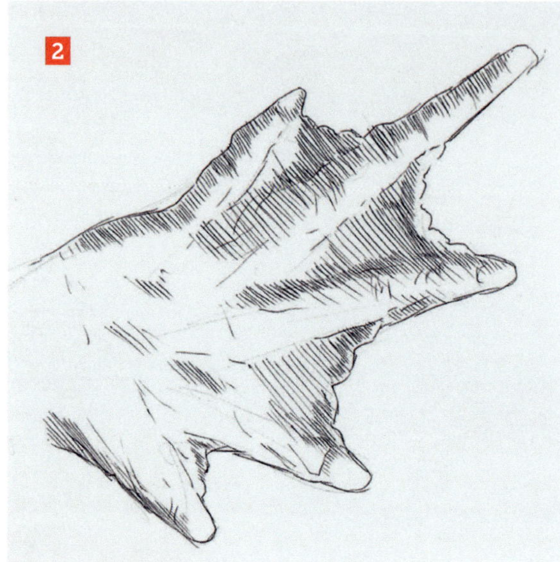

2 AUSARBEITUNG

Zeichne den Schatten mit einer 45°-Schraffur. Schraffiere hier und da etwas intensiver, um gewisse Stellen dunkler oder heller erscheinen zu lassen.

3 PROPORTIONEN

Skizziere die grobe Form der Eidechse als Kontur und achte dabei auf die Länge des Oberkörpers und die Höhe der Beine.

4 OUTLINES ABSCHLIESSEN

Achte bei der Vollendung der Outlines auf die Struktur des Oberkörpers. Eine Eidechse hat hier und da Unebenheiten.

VORSKIZZE

Bei Schildkröten kommt es immer auf den Boden des Panzers an.Es gibt Schildkröten mit einem halbrunden Panzer und einige mit einem flachen Panzer.

KONTUREN & DETAILS

Achte auf die Details im Panzer und die Falten in der Haut der Schildkröte sowie auf die kleinen Füße und ihre Zehennägel. Der Kopf darf nicht zu rund gezeichnet werden.

UNRUHE IN BEWEGUNG

Eidechsen sind schreckhafte und schnelle Tiere. Diese Eigenschaften lassen sich mit etwas Übung auch in Zeichnungen verdeutlichen. Schnelle, scharfe Linien und ein unruhiger Strich geben der Zeichnung den Eindruck von Bewegung. Auch die nachträgliche Färbung in knalligem Grün wird mit flüchtigen Bewegungen angebracht, um diesen Eindruck zu unterstützen.

MATERIAL

» schwarzer Fineliner
» Marker (grün)
» weißes Papier

TIPP

Achte auf die Musterung der Eidechse – sie gibt dem Motiv seinen authentischen Look.

VORSKIZZE
Erstelle eine grobe Vorskizze mit dem 2H-Bleistift.

KONTUREN
Fahre die Konturen mit dem schwarzen Fineliner nach.

OUTLINES ABSCHLIESSEN
Vervollständige die Konturen und arbeite dabei die Zehen sowie den Schwanz aus.

DETAILS
Ergänze die Pupillen im Auge sowie die Seitenlinie am Körper.

PLASTIZITÄT & SCHATTEN

Verstärke die Outlines in den Schattenbereichen, um Schatten darzustellen und Plastizität zu erreichen.

MUSTERUNG & FORM

Füge nun die typische, fleckige Musterung hinzu und deute die Form mit senkrechten Linien seitlich am Körper an.

KOLORATION

Koloriere mit nur einer Farbe flächig die Bereiche, die nicht direkt vom Licht, das von der Seite kommt, angestrahlt werden.

URZEIT-LÄCHELN

Alligatoren und Krokodile bieten mit ihren hervorstehenden Augen Gelegenheit für gruselige Porträts und Seitenansichten. Das lippenlose Lächeln dieser Tiere ist unverwechselbar. Die Zähne stehen dabei manchmal in ungewöhnliche Richtungen ab. Dies gibt jeder Zeichnung einen ganz eigenen Charme.

MATERIAL

» schwarzer Fineliner
» Marker (Grautöne)
» weißes Papier

TIPP

Die Struktur der knotigen Haut lässt sich am besten mit einem groben Marker herausarbeiten.

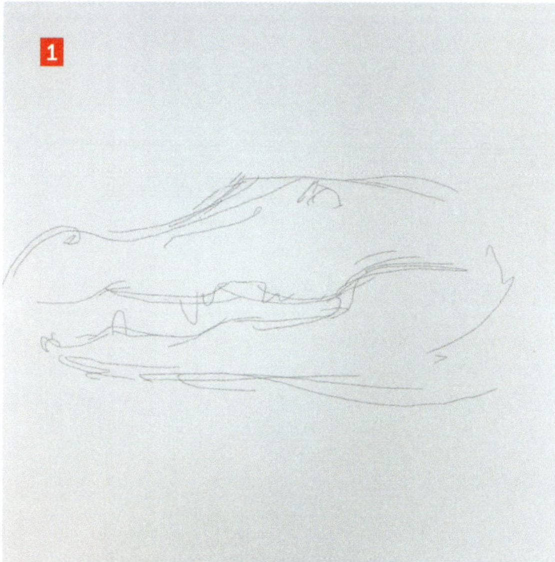

VORSKIZZE

Mit einem 2H-Bleistift legst du die grobe Vorskizze an.

KONTUREN

Anschließend ziehst du die Konturen mit einem schwarzen Fineliner nach, beginne dabei am Auge.

OUTLINES

Setze mit lockeren, unterbrochenen Linien die Konturen fort.

DETAILS

Zeichne nun auch die Zähne und kleine „Fältchen" ein.

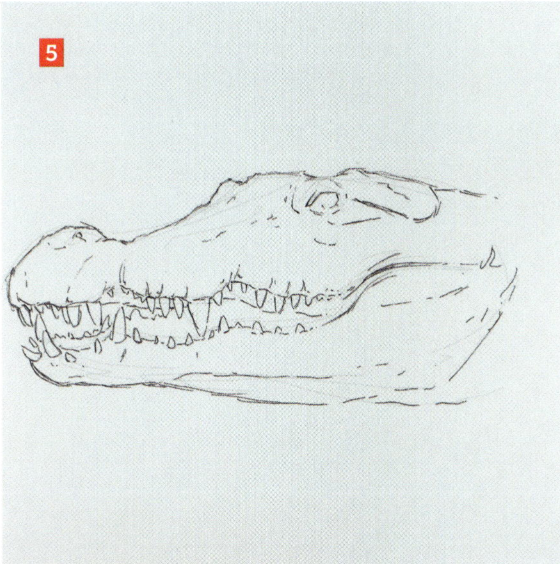

OUTLINES ABSCHLIESSEN

Vervollständige die Outlines sowie die Zähne. Vergiss nicht, auch die Rückseite des Kiefers einzuzeichnen.

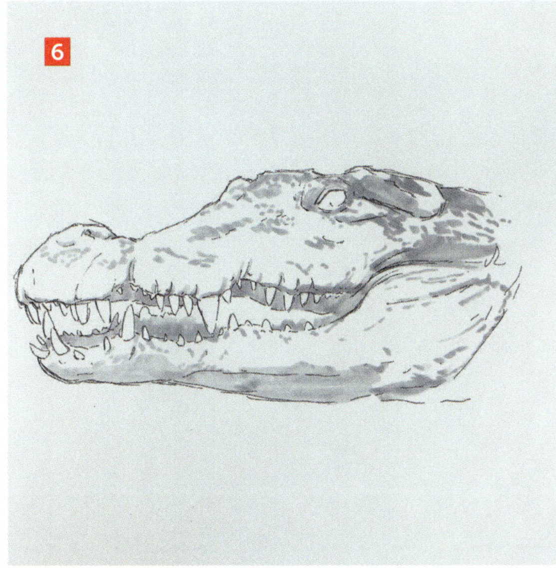

KOLORATION

Die Koloration beginnst du mit dem hellgrauen Marker. Arbeite dabei mal flächig, mal mit kurzen, dicken Strichen und lass großzügig die belichteten Stellen weiß stehen.

PLASTIZITÄT & SCHATTEN

Mit dem dunkleren Grau kolorierst du dann die schattigen Bereiche im Mundraum, um die Augen und unter dem Kiefer.

SCHATTEN & KONTRAST

Abschließend kontrastierst du die Schatten nochmals mit dem schwarzen Fineliner.

BRUNNEN-PRINZ

Bei diesem Frosch haben wir nur die großen Augen betont. Der Rest des Körpers ist skizzenhaft geblieben. Hierdurch wird das Auge des Betrachters gezielt gelenkt. Mit dem grünen Buntstift erhält die Zeichnung einen ganz eigenen Touch. Dezent schattiert, eignet sich diese Zeichnung als Vorlage für weitere Studien dieses Tiers.

MATERIAL

» grüner Buntstift
» weißes Papier

WOW EFFEKT!

Lenke den Blick des Betrachters, indem du bewusst nur die Partien ausarbeitest, die du betonen möchtest. Alle übrigen Bereiche bleiben schlicht und ohne Details.

1

GRUNDFORM

Bei diesem Motiv fertigst du bereits die Skizze mit einem grünen Buntstift an, verzichtest also auf die Vorskizze mit Bleistift.

2

SKIZZE

Vervollständige die Skizze, aber verliere dich dabei nicht in Details. Arbeite mit sanftem Druck auf den Stift.

3

OUTLINES

Nun gibst du mehr Druck auf den Stift und verstärkst so die Konturen.

4

AUSARBEITUNG

Fahre alle Konturen nach und arbeite die Details an den Füßen und Augen aus.

DETAILS

Schattiere das Auge und zeichne die typische Musterung des Froschs ein. Es genügt, diese lediglich anzudeuten.

DIE AUTOREN

JOHANNA ATORF

Ohne Skizzenbuch verlässt sie nicht das Haus. Unsere Dozentin Johanna Atorf ist seit Jahren eine beliebte Dozentin der Akademie Ruhr. Dort gibt sie Illustrations- und Zeichenkurse in den Bereichen Porträt, Tierskizzen und figürliches Zeichnen. Ihr Stil zeichnet sich durch eine lockere Flexibilität aus. Immer wieder fließen Techniken aus anderen Designbereichen, wie etwa dem Produktdesign, in ihre Arbeiten ein. Ihre Palette reicht von schnellen, temperamentvollen Skizzen mit wenigen Strichen bis hin zu detailverliebten, farbintensiven Illustrationen. Dank dieser Vielseitigkeit kann sie in ihren Kursen verschiedene Bereiche ansprechen und kombinieren. Bei ihren Schüler/innen ist sie vor allem wegen ihrer Geduld und Einfühlsamkeit beliebt. Sie hat Spaß am Zeichnen, und dies überträgt sich auf alle Kursteilnehmer/innen. Dabei geht sie auf die Bedürfnisse jedes Einzelnen ein und passt ihre Unterrichtseinheiten an die persönlichen Vorlieben und den Kenntnisstand ihres Kurses an.

Fotografien: @ Philipp Kowalski

ANDREAS M. MODZELEWSKI

Andreas M. Modzelewski ist Gründer und Leiter der Akademie Ruhr. Er verfügt über mehrjährige Berufs-/ Agenturerfahrung als Creative Director in den Bereichen Print, Online- und Multimedia-Gestaltung sowie Lehrerfahrung an diversen Instituten, Hochschulen und Unternehmen.

Seine Kurse richten sich neben Berufs- und Studienanfängern auch an Firmen und Design-Teams aus ganz Deutschland, Österreich und der Schweiz. Seine umfassenden Erfahrungen und Kenntnisse als Diplom-Designer / Master in Design und ausgebildeter Bauzeichner eignen sich hervorragend dazu, die Fähigkeit des konstruierenden Zeichnens mit den Instrumenten der visuellen Kommunikation in Einklang zu bringen. Am meisten profitieren davon die Teilnehmer seiner Mappenkurse, denen er und sein Team von Dozenten gerne ihr Wissen weitergeben. Der publizierte Autor ist neben seinen zahlreichen Seminaren für Verbände und Unternehmen auch als Dozent an Universitäten tätig.

DANKSAGUNG

Liebe Johanna, jeden Tag aufs Neue bin ich fasziniert von deinem unglaublichen Talent, ein Tier so zu zeichnen, dass man es anschließend tatsächlich als dieses eine bestimmte Tier ausmachen kann. Ich erinnere mich noch ganz genauso, wie euphorisch wir an dieses Buch herangegangen sind, und danke dir für all den Spaß, den wir während diesem Projekt hatten.

Das aus der simplen Idee „Wie wäre es, wenn wir die Zeichentechniken, die wir in unseren Mappenkursen, Workshops und Fortbildungen anwenden, auf Tierzeichnungen übertragen würden?" ein Buch entstanden ist, macht mich sehr stolz. Das wäre ohne dich nicht möglich gewesen. Danke, liebe Johanna! Du weißt, ich bin dein größter Fan.

Ein ganz großer Dank gebührt meinem lieben Kollegen und Freund, Henrik. Wer kennt ihn nicht, den Pommesdieb eines jeden Urlaubs an der Nord- oder Ostsee? Ohne dich, deine unerschöpfliche Kreativität und deinen kritischen Blick für Details, wäre dieses Buch nicht so toll geworden. Danke für 11 Jahre kreativen Austausch und alle gemeinsamen Projekte bis hierhin.

Nicht zu vergessen – Fabi. Dein Sinn für Organisation und Timing überschreitet alles, was ich mir jemals darunter vorstellte. Ich danke dir für die Einhaltung sämtlicher Deadlines und der geballten Freundlichkeit, sei es am Telefon, via Mail oder vor Ort in unseren Kursen und Fortbildungen, die du nicht nur uns als Team, sondern auch allen Kurs- und Workshopteilnehmern schenkst.

Für die letzten 13 Jahre voller Anregungen, Fragen und Kommentaren in unseren Zeichenkursen und auf unseren Onlinekanälen möchte ich auch unseren Kurs- und Workshopteilnehmem/innen sowie unserer großen YouTube-Community danken. Ihr seid der Grund, warum mir mein Job so viel Spaß macht.

Bei dir, Franzi, muss ich mich wieder einmal herzlich für deine Unkompliziertheit bedanken. Es macht mir immer großen Spaß, gemeinsame Buchprojekte umzusetzen und ich freue mich jetzt schon auf alles, was noch kommt. Auch euch, Silvia und Nathalie, gebührt ein ganz großes Dankeschön. Ohne euch wäre unser Buch optisch nicht so auf den Punkt gebracht. Danke!

Ein besonderes Dankeschön möchte ich vor allem an Kaweco richten, dem kleinen aber feinen Familienunternehmen, das uns immer mit seinen wunderschönen Schreib- und Zeichengeräten ausstattet. Danke euch! Wer hätte gedacht, dass man mit einem Füller so tolle Tierporträts erstellen kann? Das liegt zum großen Teil sicherlich auch an den wunderschönen Farben eurer Patronen!

Und natürlich: Danke an meine Freundin Paula, die immer für mich da ist und mir bei all den Projekten liebevoll den Rücken stärk.

Andreas M. Modzelewski

IMPRESSUM

Bibliografische Information der Deutschen Bibliothek.

Die Deutsche Bibliothek verzeichnet diese Publikation in der Deutschen Nationalbibliografie.

Detaillierte bibliografische Daten sind im Internet über http://www.dnb.de/ abrufbar.

EIN BUCH DER EDITION MICHAEL FISCHER

1. Auflage 2021

Covergestaltung: Vinzenz Murr

Redaktion und Lektorat: Dr. Franziska Klorer

Layout: Bernadett Linseisen und Silvia Keller

Satz: Nathalie Hochholzer

ISBN 978-3-7459-0682-0

Gedruckt bei Polygraf Print, Čapajevova 44, 08001 Prešov, Slowakei

www.emf-verlag.de

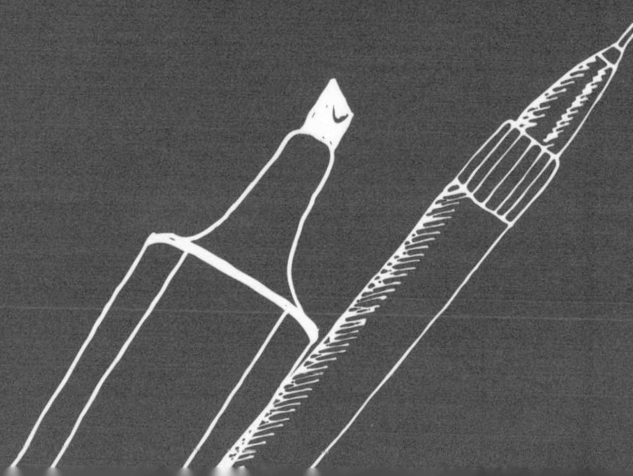